アンブレイカブル

M.ナイト・シャマラン=脚本
石田享=編訳

竹書房文庫

BRUCE WILLIS SAMUEL L. JACKSO
FROM M. NIGHT SHYAMALAN, WRITER/DIRECTOR O
"THE SIXTH SENSE"
UNBREAKABLE
TOUCHSTONE PICTURES PRESENTS A BLINDING EDGE PICTURES/BARRY MENDEL PRODUCTION AN M. NIGHT SHYAMALAN FILM BRUCE WILLIS SAMUEL L. JACKSON
"UNBREAKABLE" ROBIN WRIGHT PENN MUSIC BY JAMES NEWTON HOWARD COSTUME DESIGNER JOANNA JOHNSTON EDITED BY DYLAN TICHENOR, A.C.E. PRODUCTION DESIGNER LARRY FULTON
DIRECTOR OF PHOTOGRAPHY EDUARDO SERRA, A.F.C. EXECUTIVE PRODUCERS GARY BARBER AND ROGER BIRNBAUM PRODUCED BY BARRY MENDEL AND SAM MERCER
WRITTEN, PRODUCED AND DIRECTED BY M. NIGHT SHYAMALAN
WWW.AREYOUUNBREAKABLE.COM
ARE YOU READY FOR THE TRUTH?
Touchstone Pictures

目次

登場人物紹介

デヴィッド・ダン……元フットボール選手で、今は大学の警備を専門とする会社で警備員として働いている。131人死亡の列車衝突事故で唯一の生存者。

イライジャ・プライス……漫画コレクター・ギャラリーのオーナー。生まれつき骨が脆い骨形成不完全症という難病を抱えている。人生の三分の一を病院で過ごすうち、コミックに熱中。

ジョセフ・ダン……デヴィッドの10歳になる一人息子。デヴィッドとは仲の良い親子で、子供特有の第六感で父親の異変にいち早く気づく。

オードリー・ダン……デヴィッドの妻。リハビリテーションセンターで理学療法士として働く。大学時代に知り合い恋愛結婚したデヴィッドとの仲は冷えきっており、現在家庭内別居中。

キャサリン・プライス……イライジャの母。小学校の教師として働きながら、女手ひとつで息子を育てる。難病を抱えながらも立派に成長した息子を誇りに思っている。

アンブレイカブル

コミックブックの平均頁数は、一二四コマ、三五ページ。

値段は一部一ドルから一四〇ドル。

アメリカ合衆国における一日あたりの販売部数は十七万二〇〇〇部。

年間では六二七八万部。

コミック収集家は一人あたり平均三三一二部を所有……このコレクションすべてに目を通すには一生のうちほぼ一年を要する。

プロローグ

一九六一年の春、フィラデルフィアの中心部センターシティにある繁華なショッピングセンターの一角に人だかりができていた。フィラデルフィアの四月は連日のように雨が降りつづき、冷たい季節風が街中を吹き抜ける。休日のこの日も天候には恵まれなかったが、自宅で雨を眺めることに飽きたカップルや日曜礼拝を終えた家族連れがどっとダウンタウンにくりだし、ウォルナット・ストリートやチェスナット・ストリート界隈の商店やデパートはどこもにぎわっていた。人だかりのできているショッピングセンターも例外ではなく、買物客でごった返していた。婦人服売場の試着室を遠巻きにする人垣をかき分けるようにして長身の女性店員が姿をあらわすと、両手にショッピングバッグをぶらさげた黒人男性がそのあとにつづいた。

カーテンを閉めきった試着室の前で見張りに立っていた警備員と二人の女性店員が案内役の同僚と黒人男性を手招きした。カーテンごしに赤ん坊の激しい泣き声が聞こえる。案内役の女性店員はカーテンをわずかに引きあけて黒人男性を試着室に導き入れると、自分もすぐあとにつづいた。

黒人男性はせまくるしい試着室に足を踏み入れるとすぐに立ちどまった。おそらく外部から運び込んだのだろう、ベンチ三つと椅子一つを使って間に合わせのベッドがこしらえてあった。そこに横たわっているのは、二〇代半ばくらいの美しい黒人女性で、顔も衣服も汗にまみれ、スカートには赤いしみがひろがっていた。黒人女性はスウェットシャツに包まれたものを大事そうに抱きかかえている。

スウェットシャツの中身は見えなかったが、泣き声からして赤ん坊に間違いなかった。おそらく買い物に来てふいに産気づき、この試着室で出産したのだろう。黒人男性を案内してきた女性店員が横になっている黒人女性に声をかけた。

「こちらはマチソンさん。お医者様ですよ」

名門トーマス・ジェファーソン大学医学部出身で、現在もその付属病院に勤務するカーク・マチソン医師は、汗だくの黒人女性をじっと見つめた。急患発生を告げる店内放送を耳にしてすぐさま名乗り出たのだ。両手にぶらさげたショッピングバッグには妻から買い出しを頼まれた日用雑貨が詰まっていた。

「だいじょうぶですか?」

マチソン医師の専門は外科だが、インターン時代に救急外来勤務を経験しており、緊急の出産にも何度か立ち会ったことがあった。

　黒人女性はかすかにうなずいた。その拍子に疲れきった顔から汗がしたたりおちた。赤ん坊はいっこうに泣きやむ気配はなく、むしろその泣き声は激しくなるばかりだった。

「もうすぐ救急車がきますからね」長身の女性店員が励ますようにいった。そのうしろから眼鏡をかけた女性店員とずんぐりした女性店員が顔をのぞかせた。二人ともうれしそうに笑みをうかべている。どんなときであれ、新しい命の誕生は喜ばしいものだ。自分たちが出産の場に立ち会っただけに、赤ん坊を祝福する気持ちは人一倍強かった。

　マチソン医師は手にしたショッピングバッグをおろすと、間に合わせのベッドに近づいた。母親になったばかりの黒人女性のかたわらにひざまずき、スウェットシャツに包まれた新生児をのぞき込む。

「その子の名は?」マチソン医師は穏やかな声でたずねた。

　黒人女性は初めて笑みをうかべると誇らしげにこたえた。「イライジャ」そしてマチソン医師に生まれたばかりの息子をそっと手渡した。「赤ん坊って、こんなに泣くものなんでしょうか?」

　マチソン医師は赤ん坊を膝にのせると、産着代わりのスウェットシャツを慎重な手つきでひろげた。若い母親は新生児の診察に取りかかった医師の顔をじっと見つめた。マチソン医師はいつまでたってもその顔をあげようとしなかった。

若い母親はついにしびれを切らした。「赤ちゃんを返してもらえますか?」

マチソン医師はようやく顔をあげたが、その表情はひどく暗かった。不安に襲われた若い母親は思わず息をのんだ。

マチソン医師は三人の女性店員を振り返った。「出産時なにか問題はありませんでしたか?」きびしい表情で思いもかけぬ質問をあびせられた女性店員たちはいちように動揺の色をうかべた。しばらく沈黙がつづいたが、いちばん年かさでもある長身の女性店員がようやく口をひらいた。

「べつに。あっけないくらいの安産で、それはすんなりと、まるで生まれるのを待ちかねていたみたいでしたよ」

「この子を床に落としたりしませんでしたか?」マチソン医師はきびしい顔つきのまま問いただした。

三人の女性店員は凍りついたようにだまりこみ、若い母親は顔色をかえた。赤ん坊の激しい泣き声だけがせまくるしい試着室に響きわたった。

「この赤ん坊を床に落としませんでしたか?」マチソン医師は同じ質問をくりかえした。

ふたたび長身の店員がこたえた。「とんでもない」その声にはあらぬ疑いをかけられた憤懣がにじみでていた。

医師はふたたび赤ん坊を見やると、なにごとか口の中でつぶやいたが、だれにもその声は聞きとれなかった。マチソン医師はあらためて長身の女性店員を振り返った。「救急車に至急連絡してもらえませんか……緊急事態だと」

そして若い母親に向き直ると、いいにくそうに切りだした。「こんな症例を目にするのは初めてです……あなたのお子さんは子宮の中にいたときから骨折していたようです。両手両足ともに」

これが悲劇のはじまりだった。

第1章　フィラデルフィア行き一七七番列車

　イーストレイル社のニューヨーク発フィラデルフィア行き一七七番列車はトレントン駅に停車していた。ここで後部車両を切り離し、先頭の二両だけが終点のフィラデルフィアまで向かう。フィラデルフィアを経由してニューヨークと首都ワシントンを結ぶこの北東線はイーストレイル社のドル箱路線で、ビジネスマンに人気があった。ニューヨークからフィラデルフィアまでは飛行機を使えば五〇分足らずだが、空港までの所要時間を考えると街中に乗り入れている鉄道を使うほうがずっと効率的だし、経済的にも安くあがるからだ。

　窓辺の席にすわったデヴィッド・ダンは強化ガラスの窓にもたれて、プラットホームを行き交う人々をぼんやりと眺めていた。構内アナウンスの声が聞くともなしに聞こえてくる。

「三番線に停車中の快速電車はフィラデルフィア止まりです。ご利用のかたは先頭の二両にご乗車ください。後部車両にはご乗車になれませんのでご注意ください」

　一時間ごとにニューヨークのペンシルバニア駅を発車するワシントン行きの特急はトレントン駅に停車しないが、その合間を走る快速はほぼ各駅に停車する。ニュージャージーとペンシルバニアの州境に位置するトレントン駅から終点のフィラデルフィア三〇丁目駅までは三〇分ほどの距離である。

列車がゆっくりと動きだすと、デヴィッド・ダンはネクタイの襟元をゆるめた。ふだん着つけないネクタイと上着を身につけているせいか、ひどく窮屈で息苦しく感じた。ふと視線を感じて向き直ると、前の座席のあいだから五、六歳の女の子がこちらを見ていた。疲れているのか無表情で、いつまでたっても視線をそらそうとしない。

デヴィッドは作り笑いをうかべたが、少女はまったく反応しなかった。おれの顔がそんなにめずらしいのだろうか。四〇そこそこなのにすっかり禿げあがり、髪の毛が一本もないのは確かだが、ハゲのオヤジなんかどこにだっているだろう。それともなにかにおびえているのだろうか。この年頃の子供ならはしゃぎ立てても不思議はないのに、ちっともうれしそうなようすがない。どこか異常な感じがしたが、あれこれ考えるのがめんどうくさくなったデヴィッドはふたたび車窓にもたれると、静かに目を閉じた。そのまま列車の揺れに身をまかせてうとうとしかけたとき、声が聞こえた。

「ここあいてますか?」

反射的に声のほうを振り返ると、通路に若い女が立っていた。大きなショルダーバッグを肩にかけて、淡いブルーの目をデヴィッドに向けている。パリッとした白いTシャツにブルージーンズを身につけ、髪はブルネット。掛け値なしの美女だった。デヴィッドはどうぞというふうにうなずいてみせた。

ブルネットの美女は重たそうなショルダーバッグを肩からはずすと頭上の荷物棚にのせた。そのとき両手を使ってのびあがるような格好になったので、腹部の白い肌がむきだしになった。かわいらしいへそに銀色のピアスが光っている。それを目にしたとたんデヴィッドの眠気は吹き飛んだ。すかさず左手薬指にはめた金色の結婚指輪に手をやると、こっそり引き抜き、それを上着のポケットにしまった。

ブルネットの美女はそんな小細工に気づいたようすもなくデヴィッドの隣席に腰をおろした。ふいにゴーという大きな音がして列車が大きく揺れた。ニューヨーク行きの列車とすれ違ったのだ。数秒もしないうちに、もとの単調な走行音がよみがえった。

デヴィッドは前座席の背に取り付けられたメッシュ状のシートポケットから女性向けのファッション雑誌を引き抜くと、隣席の美女に声をかけた。

「まえの客が置いていったらしい。よかったらどうですか?」

ブルネットの美女はシートポケットに残っている〈スポーツ・イラストレーテッド〉を指さ

した。「できればそちらを」

デヴィッドはプロスポーツ関連の記事を満載した週刊誌を引き抜くとそれを手渡した。

「ありがとう」ブルネットの美女は礼をいった。

「スポーツがお好きなんですか?」デヴィッドはさりげなくたずねた。

「わたしにとっては仕事。わたし、スポーツ・エージェントなの」スポーツ・エージェントは野球やバスケットボールやフットボールなどのプロ選手の代理人をつとめ、年俸や移籍の交渉にあたる。

「じつはシンクロナイズド・スイミングの選手になろうと思うんだけど?」デヴィッドは冗談めかして話しかけた。

ブルネットの美女は作り笑いをうかべた。「まさか?」

「問題は水が怖いことかな」デヴィッドは真顔でたずねた。「これってやっぱりハンデになる?」

このジョークは受けたらしく隣席の美女は思わず笑い声をあげた。調子づいたデヴィッドはくだけた口調で話をつづけた。「フィラデルフィア在住の選手を担当しているんですか?」

「これからテンプル大学の選手に会いに行くところ」ブルネットの美女は熱のこもった口調で

こたえた。「コーナーバックで、身長一メートル八三センチ、体重九五キロ。四〇ヤードを四・三秒で駆け抜けるのよ。プロでもきっと大活躍するでしょうね。ところで、フットボールはお好き?」

「それほどでも」デヴィッドは複雑な表情でこたえた。

またしてもゴーという大きな音がして車体が大きく揺れた。ブルネットの美女は雑誌をパラパラとめくりだした。デヴィッドは対向列車が通り過ぎるのを待って、ふたたび話しかけた。「デヴィッド・ダンです。よろしく」

ブルネットの美女は顔をあげた。「ケリーよ。はじめまして」それだけいうと雑誌に目をもどした。

すこし間を置いてからデヴィッドは思い切ってたずねた。「フィラデルフィアにはどれくらい滞在するつもり?」

ケリーはふたたび顔をあげると、美しいブルーの瞳でデヴィッドをじっと見つめた。そしておもむろに左手をあげた。その薬指にはダイヤモンドの指輪が光っていた。「わたし、結婚してるの」

「それはそれは」デヴィッドは皮肉まじりにこたえた。

「ごめんなさい」

デヴィッドはとぼけた口調で聞き返した。「ごめんなさいってなにが?」

気まずい沈黙がつづいた。年甲斐もなくナンパをしかけてもののみごとにはねつけられたわけだが、それをすんなり認めると立つ瀬がないので、男の面目をたもつべく苦しい言い訳をはじめた。「なにか誤解してるんじゃないか。おれはただ……」

ケリーは悪あがきをつづける中年男から目をそらすと、うつむいて雑誌をとじた。いつもならバカな男を適当にあしらうのだが、きょうはそんな気分になれなかった。プリンストン大学の助教授である夫にドライブがてらトレントン駅まで送ってもらったのだが、その途中でささいなことから夫婦喧嘩になった。その余韻がまだ残っているせいかもしれない。自宅近くにもプリンストン・ジャンクションという駅があるのだが、そこに停車する列車はめったになく、停まったとしてもほとんどの場合、降車のみで乗車はできなかった。

「悪いけどべつの席をさがします」そういいながら立ち上がったケリーは、よろけないよう座席のヘッドレストをつかみながら車両の後部へと遠ざかっていった。

一人取り残されたデヴィッドは、水中でもないのにおぼれるような胸苦しさをおぼえた。ふと前部座席の隙間に目をやると、依然として少女がこちらを見つめていた。一部始終を観察していたのだろうか。

デヴィッドはバツの悪い思いを噛みしめながら目をそらすと、ふたたび車窓にもたれた。そして上着のポケットから金色の結婚指輪を取り出すと、それを左手の薬指にはめなおした。ひさしぶりにニューヨークへ出たせいか、ついうかれてしまった。学生時代の気分を思い出したのだ。もっとも大学時代はフットボールのスター選手だったので、ナンパなどする必要はなく、デート相手はよりどりみどりだった。俊敏なクオーターバックとして鳴らし、プロチームからも声をかけられていたが、結局、理由《わけ》あってプロ選手にはならなかった。大学卒業後は、スポーツインストラクターなどさまざまな職を転々としたすえ、中堅の警備会社に就職、そこに数年勤めたのち、いまの警備会社に移った。大学の警備を専門にしている会社で、九月から一一月のフットボール・シーズンは試合のおこなわれるキャンパス内のスタジアム警備がおもな仕事になる。

結婚して一二年、一〇歳になる一人息子がいる。息子とはうまくいっており、二人でよく釣りに出かけたりする。しかし大学時代に知り合って恋愛結婚した妻との仲が冷えきっていた。ここ一年ばかりは家庭内別居の状態で、寝室も別々だ。そのせいもあるのだろう、朝はいつも物悲しい気分で目をさます。職場でも淡々と仕事をこなすだけで、これといって生きている歓びを実感することはない。いつのまにか四〇の坂を越えてしまったし、なにやら人生そのものが煮詰まってきたような気がしていた。

そんな鬱々とした日々を送っているところへ以前勤めていた会社の上司から連絡があった。グラマシー・パーク近くのこぢんまりしたホテルで警備主任をさがしているので、その面接を受けてみないかという誘いである。会社を辞めたきり会っていないのに、どうして声をかけてくれたのかたずねてみると意外なこたえが返ってきた。かつての上司は人事評価における自分の眼力を強調したうえで、デヴィッドの仕事ぶりが強く印象に残っていたからだと説明した。トラブルを起こしそうな不審者を事前に見抜き警備担当区域に立ち入らせない手腕に天才的なものがあったと。警備員として当然の職務を果たしただけなのに、どうしてそこまで買いかぶられるのか解せなかったが、デヴィッドは元上司の好意に甘えることにした。

フィラデルフィアで生まれ育った身だが、故郷に未練はなかった。ニューヨークへ出れば、人生の転機とはいわないまでも気分転換にはなるだろう。そう思ってひさしぶりにネクタイを締めて、着なれない上着を身につけて面接におもむいたのだが、かつての上司の推薦があったにもかかわらず、ホテル側の反応はいまひとつパッとせず、採否の通知は後日ということで早々に引きあげることになった。とくに立ち寄りたいところもなかったので、そのままペンシルバニア駅に直行して帰りの列車に乗った。

おそらくこの話はつぶれるだろう。そんな冴えない気分でうとうとしているところへ、目のさめるような美女があらわれたので、めずらしく助平心を起こしたのだが、相手を不快にさせたうえ赤っ恥をかくというみじめな結果に終わった。

なにをやってもうまくいかない。デヴィッドは思わず太いため息をついた。終点まであと二〇分くらいだろうか。ふと息子の顔がうかんだ。朝食の席で、ニューヨーク行きの件を告げると、ついてきたそうな顔をした。もちろん学校があるし、父さんも仕事で行くのだからというとしぶしぶ納得したようだった。それでもうるさく帰りの列車のことをたずねるので、おおよその帰宅時間を教えておいた。それを思い出して、列車に乗る直前、息子に電話したのだ。ちょうど学校から帰ったところらしかった。おれの帰りを心待ちにしてくれるのは息子だけか。そう思うとなにやらうれしくもあり、また哀しくもあった。

こんどの休みはまた釣りに連れていってやろう。デヴィッドはぼんやりそんなことを考えながら外の風景に目をやった。こんもりと繁った樹木がビュンビュン後方へ流れてゆく。もともとこの路線を走る列車は相当なスピードを出すことで有名だが、それにしても速すぎるのではないか。車体の揺れも激しくなるばかりだ。腰をうかせて車内を見まわすと、異変に気づいた乗客がほかにも数人いた。しきりに窓の外を指さしながら、なにごとか声高に語り合っている。

列車がさらに加速すると、車内のざわめきはいちだんと大きくなった。車体がきしむような異様な物音にくわえ、耳をつんざくような金属音が響きわたった。列車がカーブにさしかかったのだ。それにもかかわらず減速する気配はない。前方に向き直ったデヴィッドは、座席の隙間から顔をのぞかせていた女の子の姿が忽然と消えていることに気づいた。どこへ行ったか詮索する暇もなく、車体が大きくかしいだ。通路をへだてた反対側の車窓ごしに、尋常ならざる角度に傾いた先頭車両がはっきりと見てとれた。

デヴィッドはわが目を疑った。このままでは脱線する。だれもが同じ思いをいだいたらしく、車内のあちこちから悲鳴があがった。その直後、けたたましい汽笛の音を圧するかのように轟音がとどろいた。激しい衝撃とともに通路に投げ出されたデヴィッドは床にはげしく頭を打ちつけた。朦朧となってゆく意識のなかで、粉々に砕け散ったガラス片がきらりと光って見えたが、たちまち目の前が真っ暗になった。

第2章　たった一人の生存者

　学校から帰ったジョセフ・ダンはしばらくテレビゲームをやっていたが、それにも飽きて居間でテレビを見はじめた。しかし退屈な番組ばかりだった。地元選出の州議会議員にフェアマウント公園のサイクリングロードの拡張工事について電子メールで質問を送るよう担任のスミス先生からいわれていたが、この宿題も気が乗らずまだ手をつけていない。フィラデルフィアの西を流れるスクーキル川の両岸にひろがるフェアマウント公園は、都市公園としては世界最大規模を誇り、サイクリングやハイキング、ランニングといったアウトドア・スポーツが楽しめるだけでなく、コロニアル様式の屋敷やジョージア様式の農家、彫刻を野外展示している庭園、茶の湯が味わえる伝統的な日本館、野外コンサートが催される円形劇場といった文化施設も充実しており、老若男女を問わずにくつろげる市民の憩いの場になっていた。

　それよりも早く父親からニューヨークの話を聞きたかった。一〇歳のジョセフはまだニューヨークへ行ったことがない。去年のクリスマスにテレビで『ホーム・アローン2』を見て以来、ビッグ・アップルはあこがれの街で、ケヴィンみたいにプラザホテルに泊まりたいと思っていた。しかし同級生のポッターにいわせると、ゴッサムシティはフィラデルフィアよりずっと物騒なところで、ヤバい連中に出くわしても助けにきてくれるバットマンはいないぞとおどかされた。

ゴッサムがニューヨークの異名だということをジョセフは授業で教わった。『リップ・ヴァン・ウィンクル』を読んだときスミス先生は作者のワシントン・アーヴィングについてふれ、その生涯や代表作についておもしろおかしく解説してくれたのだ。首のない騎士が村人たちを恐怖のどん底におとしいれる『スリーピー・ホロウ』という話は聞いているだけで背筋がゾクゾクするほど怖かった。そのアーヴィングがニューヨーカーのことを軽蔑してゴッサム呼ばわりしたというのだ。なんでもゴッサムとはイギリスにあった愚者の村のことらしい。愚者とはバカのことだとスミス先生は説明してくれた。

父親からは帰宅した直後に電話があった。列車番号と到着時刻を教えてくれたので、すぐさまメモした。ペンシルバニア駅のざわめきや構内アナウンスの声が受話器から聞こえてくると胸がときめき、思わず耳をそばだててしまった。

あんまり退屈なのでジョセフはカウチにあお向けになって、テレビ画面をさかさまに眺めた。バカみたいな女が二人、おたがいをののしりあっている。リモコンのボタンを押すと、アニメ番組に切り替わった。どうやら再放送らしく、季節はずれのグリンチが「クリスマスを盗んでやる」と騒ぎたてていた。すぐにチャンネルを切り替える。こんどはニュースらしく、線路をふさぐようにしてひっくり返っている列車を映しだしていた。画像の右隅に生中継の表示がでている。

ジョセフはうつむけになると、そのまま身を乗り出すようにしてカウチからすべり落ちた。テレビ画面をじっと見つめる。上空から列車事故の現場を映しているらしい。それにしても、なんてひどいありさまだろう。めちゃくちゃに壊れた銀色の車体がくの字に折れまがり、無残な姿をさらしていた。

「車体の一部から依然として炎があがっており、金属片があたり一面に散乱しています」現場の状況を説明する男性ニュースキャスターの声が聞こえた。「救急隊が事故現場にいつごろ到着するのかいまのところ不明です……くりかえします、イーストレイル一七七番列車がフィラデルフィア郊外で脱線事故を起こしました……現在お見せしている映像は、現場上空の取材ヘリから送られてきたものです……」

ふいに別の声が割り込んだ。「あ、たったいま救急車がやってきたもようです」取材ヘリコプターに乗り込んでいる記者らしく、エンジン音に負けないよう声をはりあげている。「そのうしろにも緊急車両が数台つづいています……」

「道路から事故現場までどれくらいの距離ですか?」ニュースキャスターがたずねた。

「距離はさほどありませんが」取材記者はすぐにこたえた。「谷間にある線路まで、樹木が鬱蒼と生い茂った斜面を降りなければなりませんから、救出活動は困難をきわめるものと思われます」

ジョセフは思わず立ち上がると、廊下の電話に駆け寄った。小卓に置かれた電話機の横にメモ用紙がのっていた。そこには「パパ、イーストレイル一七七、三時四〇分」とあった。父親から電話があったとき自分で書き取ったものだ。ジョセフはそのメモ用紙を引きちぎると、テレビの前に引き返した。

じっと見ていると、画面の下に真っ赤なブロック体でテロップが流れはじめた。「三時四〇分フィラデルフィア着イーストレイル一七七が脱線……事故対策本部の電話番号は一—八〇〇—六五六—一四八二……」

ジョセフは手元のメモとテロップの列車番号をなんども照らし合わせた。そして、あらためて事故現場の映像に目をやると、うめきとも悲鳴ともつかない小さな声をもらした。

＊＊＊＊＊

トーマス・ジェファーソン大学付属リハビリテーション・センターに理学療法士として勤めるオードリー・ダンは、目の前で規則正しく上下する黒色の四角いおもりをぼんやり眺めているうちに、いつしか夢想の世界に迷い込んでいた。突然ガチャンという大きな音がしておもりの動きがとまった。オードリーはハッとわれに返った。

オードリーはレッグプレス・マシンの背後に立っていた。マシンに腰かけて大きく息をはずませているのは肥満ぎみの年配女性である。

「どう、亭主のケツぐらい蹴飛ばせるようになった?」年配の女性は問いかけた。

オードリーは笑みをうかべるとおもりの重量をチェックした。「まだちょっとむずかしいわね」

広々としたセンター内では、十数人の患者がそれぞれの用途に応じた筋肉強化マシンを使って身体能力の回復につとめていた。

オードリーは年配女性の息が落ち着くのを待って話しかけた。「おもりをちょっぴり増やしましょうか?」

年配女性は嫌だというふうに首をふった。

「でもね、ヴァージニア、そろそろ重量をアップしないと」

ヴァージニアと呼ばれた年配女性はふたたび嫌だというふうに首をふった。太りぎみのうえ、骨粗鬆症をわずらっていたヴァージニアは半年前、自宅のポーチで転倒して大腿骨を骨折した。三ヶ月におよぶ入院生活のすえ、どうにか退院にこぎつけたものの、両脚の筋力がすっかり衰えて歩行もままならない状態におちいった。そのリハビリテーションのためここに通院するようになったのだ。筋力強化トレーニングをはじめて三ヶ月、かなり回復してきたものの、足取りはまだおぼつかない。以前と同じように歩けるかどうかは、本人の努力しだいといえた。

オードリーはかまわず重量をすこし増やした。「さあ、もうひとがんばり」

ヴァージニアはマシンに腰かけたまま、そっぽを向いた。オードリーはやれやれというふうに肩をすくめた。「オーケー、きょうはここまでにしましょう。ちょっと待ってて、あなたのカルテを取ってくるから」

オードリーは背を向けるとその場を離れた。しかし三歩と進まないうちに足をとめた。壁の上方に据え付けられた五台のテレビモニターが目にとまったのだ。五台のテレビはいずれも同じ光景を映しだしていた。

列車事故の現場を上空からとらえた凄惨な映像を。

＊＊＊＊＊

フィラデルフィア市立病院の受付はごった返していた。事故の一報を知って駆けつけてきた家族が受付の当直看護婦を取り囲み、口々に質問をあびせかけている。しかし当直の看護婦にこたえられることはあまりなかった。

「生存者はすべて当病院に搬送されることになっています。いまのところ氏名も人数も不明です。わかりしだいお知らせしますので、もうしばらくお待ちください」

それを聞いたオードリーは自動販売機で買ったスナック類を両手いっぱいにかかえながら人ごみをかき分けた。壁ぎわの長椅子にジョセフが悄然と腰かけていた。オードリーはその横にすわった。父親の身を案じているのだろう、ひどく思いつめた表情をしているので声をかけるのがためらわれた。母子はならんで腰かけたまま、黙然と時を過ごした。

オードリーはふいにジョセフを振り返った。「ほら、大好きなバーベキュー味のチップス買ってきたわよ」

そういいながらポテトチップスの小袋を持ち上げてみせたが、ジョセフは手にとろうともしなかった。オードリーはポテトチップスの小袋を膝の上にもどした。またしばらく沈黙がつづいた。

オードリーはふたたび息子を振り返った。「まえから飲みたがっていたカフェイン入りのコーラも買ってきたわよ。今回だけ大目に見てあげる」

しかしジョセフはうなだれたまま返事をしなかった。

「あなたの好きなキャンディーバーが見あたらなくて、とりあえずあるものだけ買ってきたんだけど」オードリーはそういいながら三種類のキャンディーバーを持ち上げてみせた。

ジョセフは母親をちらっと振り返ったが、その表情は悲しげでいまにも泣きだしそうに見えた。ジョセフは一言も口をきかず、また顔を伏せた。

オードリーも長椅子にもたれて、息子と同じように足元を見つめた。二人ともだまりこみ、時間だけがむなしく過ぎていった。

オードリーはふたたび息子を振り返ると、ささやくような声で話しかけた。「キャロットケーキならここにあるんだけど、あなた、にんじん嫌いだものね。すぐそこにコンビニがあるから、レーズンケーキ買ってこようか?」

しかしジョセフはうなだれたまま顔をあげようともしなかった。

＊＊＊＊＊

デヴィッド・ダンはゆっくりとまぶたをひらいた。ぼんやりした視界にまず飛び込んできたのは天井で白く光る蛍光灯だった。まばたきをくりかえすうちに意識がはっきりしてきて、自分がベッドに寝かされていることがわかった。

すぐ近くで人の動きまわる音や緊迫したやりとりが聞こえる。ベッドの上に身を起こしたデヴィッドはあたりを見まわした。自分のベッドのすぐ横に同タイプの病院用ベッドが六台ならんでいたが、どれもからっぽだった。どうやら病院に担ぎ込まれたらしい。

緊迫したやりとりは半ば引かれたカーテンの向こう側から聞こえてきた。そのカーテンの隙間ごしに、あわただしく動きまわる医師や看護婦の一団が見えた。車輪付き担架の上で激しい痙攣を起こしている血まみれの患者に懸命の治療をほどこしている。医療スタッフの一人がデヴィッドの視線に気づいて顔をあげた。白衣を身につけたその人物は救急治療にあたる同僚のかたわらを離れると、デヴィッドのところへ歩み寄ってきた。

白衣の人物は自己紹介したうえでデヴィッドの置かれた状況を説明した。「わたしはドクター・ドゥービンです。あなたはいまフィラデルフィア市立病院の集中治療室にいます。あなたは大事故に巻き込まれたのです。ちょっとこちらを向いてください」ドゥービン医師はそういうと、懐中電灯でデヴィッドの瞳孔反応を調べた。「気分はどうですか?」

デヴィッドは医師の顔をぼんやり見上げた。「だいじょうぶです」

「それはよかった」ドゥービン医師はそうこたえると質問をはじめた。「いくつかお聞きしたいことがあります……これまでに心臓病とか喘息になったことはありますか?」

「いいえ」デヴィッドはぼそぼそとこたえた。

「腎臓病は?」

「いいえ」

「なんらかのアレルギー症状を起こしたことは?」

デヴィッドは首をふると、緊急治療をうけている患者のほうに目をやった。素人目にも切迫した容体に見えた。

ドゥービン医師は質問をつづけた。「列車のどのあたりにすわっていましたか?」

「窓ぎわです」デヴィッドは医師を振り返った。

「客車ですか？」

「もちろん」デヴィッドはいぶかしげに問い返した。「ほかの乗客はどこにいるんですか？」

ドゥービン医師はそれにはこたえず質問をつづけた。「ご家族が一緒でしたか？」

「いいえ」デヴィッドはもう一度患者のほうへ目をやった。

「席を離れませんでしたか？」ドゥービン医師はしつこく問いただした。「客車にいたのは確かなんですね？」

「はい」そうこたえるとデヴィッドは医師を振り返った。白衣の人物はいかにも不思議そうにデヴィッドの顔を見つめた。

「……どうしてそんな目でわたしを見るんですか？」デヴィッドは不審に思って問いただした。

「あなたが乗っていた列車は脱線事故を起こしました……」ドゥービン医師は穏やかな声で説明をはじめた。「……おそらくブレーキ系統の故障でしょう、ものすごいスピードでカーブに突っ込んだのです。線路をふさぐような格好で横転したところに、反対側から走ってきた貨物列車が激突しました。客車はめちゃくちゃに壊れて、その破片は一キロ四方にわたって飛び散りました……」そういうとドゥービン医師は肩ごしにうしろを見やった。「いまのところ生存者は二名。あなたと、そこで治療をうけている男性です」

ぴくりとも動かなくなった患者とは対照的にそのまわりの動きはいちだんとあわただしくなった。

「その男性の頭蓋骨は粉々に砕け、左半身も押しつぶされた状態なのです」ドゥービン医師は説明をつづけた。「さきほどのご質問におこたえしましょう。わたしがあなたを不思議そうに見る理由はふたつ」

デヴィッドは医師の顔をじっと見つめた。

「まず第一に、あと数分で、あなたはこの列車事故の唯一の生存者になるでしょう」ドゥービン医師はすこし間を置いてからつづけた。「第二に、あなたは、骨折はおろか、かすり傷ひとつ負っていないからです」

＊＊＊＊＊

デヴィッド・ダンはエレベーターのステンレス・スチール製の壁にもたれた。かすかな耳鳴りをおぼえたが、それ以外にこれといった異状はなかった。今夜は入院して精密検査をうけるよう強く勧められたが、医者の態度からしてモルモットあつかいされそうな気配が濃厚だったので、デヴィッドはこのまま帰宅するといいはった。

さすがにそれ以上足止めはできず、デヴィッドは医師から医療勧告不同意承諾書《アゲンスト・メディカル・アドバイス》を手渡された。医者の助言を無視して退院するときはかならず通称AMAと称するこの書類に署名しなくてはならない。デヴィッドは生まれて初めて目にする文面――わたしは自分の責任で、医師からの助言を充分聞いたうえで、自分の意思により退院します。今後命にかかわるような事態をふくめなにが起きてもその責任はすべて自分にあります――を一読すると、指定個所にサインと日付を書き込んだ。

そして病院の備品であるサンダルを借りると――事故のときはいていた靴は事故の衝撃でどこかへ吹き飛んでしまったらしい――集中治療室をあとにして、エレベーターに乗ったのだ。

一階に降りてドアがひらくと、大勢の人たちがいっせいに振り返った。どれも見知らぬ顔だが、いちように不安と悲しみの表情をうかべている。デヴィッドは無言の視線にさらされながら通路を進んだ。

通路のはずれまで来ると、長椅子に腰かけていた少年がハッと顔をあげてこちらを見た。デヴィッドは思わず夢遊病者のような歩みをとめた。それは息子のジョセフだった。ジョセフは弾かれたように立ち上がると、デヴィッドのところに駆け寄ってきた。父親の腰に抱きつき、涙声でなにごとか話しかけたが、その声はくぐもってよく聞こえなかった。デヴィッドはだまってうなずくと息子の頭をやさしくなでてやった。

そこへオードリーが歩み寄ってきた。夫婦はじっと顔を見つめあった。二人ともすぐには声がでなかった。オードリーは無言のまま夫に抱きついた。さすがにこのときばかりは日頃の気まずさを忘れていた。デヴィッドはだまってうなずくと、その背中をそっとさすった。三人の家族は時間を忘れたように抱擁をつづけた。

三人はいまや注目の的だった。絶望に沈んでいた人々は、奇跡の生還者とその家族の姿に、ほんのわずかだが希望の光を見出していた。ひょっとしたら、ほかにも死地を切り抜けた乗客がいるかもしれない。いっぽう、どうしてこの男だけがという割り切れない気持ちもあって、待合室は一種異様な雰囲気につつまれた。

ジョセフがデヴィッドの手をつかむと、オードリーが両手で二人の手を包みこんだ。三人は手をつないだまま病院の正面玄関へと向かった。ガラス張りの正面玄関のすぐ外には報道陣が待ち構えていた。

三人がそろってガラス張りの正面扉をくぐり抜けたとたん、カメラのフラッシュがつぎつぎにたかれた。あまりのまぶしさにデヴィッドは思わず手をあげて目をかばった。その瞬間、三人はにぎりあっていた手をはなした。被写体の困惑などおかまいなしに、カメラの放列は貪欲にシャッター音をひびかせた。

＊＊＊＊＊

デヴィッドは台所のテーブルに一人腰かけて、おそい夕食をとっていた。ふと食べるのをやめて、自分の左手を見つめる。掌をゆっくり閉じたりひらいたりしてから、そっと裏返す。手首のところで目がとまった。

腕時計はめちゃくちゃに壊れていた。ガラスは吹き飛び、本体もぺちゃんこに押しつぶされている。デヴィッドは腕時計の残骸をいつまでも見つめていた。

食事を終えたデヴィッドは食器をそのままにして台所を出ると、二階の寝室へ行くべく階段に向かった。しかし来客用の寝室の前を通り過ぎて階段に足をかけたところで、うしろから呼び止められた。

「デヴィッド」

振り返ると来客用の寝室のドアが半開きになってオードリーが顔をのぞかせていた。この部屋は現在、オードリーが寝室として使っている。

「ニューヨークの件はどうなったの?」オードリーはいつもと変わらない口調でたずねた。

「あの話は見込みがなさそうだ」デヴィッドは穏やかにこたえた。

オードリーは夫の顔をじっと見つめた。

「いずれにしても動きたいと思っている」デヴィッドは話をつづけた。「いますぐというわけにはゆかないが」

オードリーはすこし間を置いてからこたえた。「べつにいそぐ必要はないのよ」

デヴィッドはだまってうなずいた。

「おやすみなさい」オードリーがそういうと、デヴィッドも「おやすみ」とこたえて階段をのぼりはじめた。オードリーはそのうしろ姿を見送ると静かにドアを閉めた。

二階の寝室にはいったデヴィッドはベッドでうたた寝をしている息子を見つけた。

「ジョセフ、ママのところへ行って寝たらどうだ?」デヴィッドはベッドのかたわらにひざまずくと息子を揺すり起こした。

ジョセフはまぶたを閉じたまま眠そうな声でこたえた。「ここで寝させて」

「父さんは一人になりたいんだけどな」デヴィッドは息子の耳元でささやくようにいった。

「お願い、うるさくしないから」ジョセフはまぶたを閉じたままこたえた。

「頼むから自分の部屋に行ってくれないか?」デヴィッドは穏やかな声でうながした。「怖い夢をみたらもどってきてもいいから……な、ジョセフ?」

返事はなかった。どうやら眠り込んでしまったらしい。デヴィッドはひたいをこすると立ち上がった。そして寝室の片隅に置かれたテレビのスイッチを入れると、ボリュームを下げてから、バスルームにはいった。

熱いシャワーをあびると生き返ったような気分がした。わずかにあいたドアの隙間ごしにテレビ画面がちらっと見え、音声が聞こえてきた。ニュースがはじまったらしい。デヴィッドはシャワーをとめると、聞き耳を立てた。

「……フィラデルフィアの北方一二キロの地点で脱線、車体は反対側の線路上に横倒しになったもようです。この時点ではまだかなりの生存者がいたはずだと鉄道関係者は見ています。しかし不運にもその数秒後、ちょうどこの時刻にすれ違うことになっていたボストン行きの貨物列車が横転した一七七番列車に突っ込みました。衝突したのは午後三時一五分すぎ。客車の一両目はまっぷたつに引き裂かれてくの字に折れ曲がり、二両目はグシャグシャに押しつぶされたうえ、一二〇メートルも引きずられました。貨物列車の乗員六名、フィラデルフィア行き列車の乗員・乗客一二六名……あわせて一三二名のうち、生存者は一人だけです……」ニュースキャスターはすこし間を置いてから説明をつづけた。「……車体の残骸はサウスフィラデルフィアの海軍基地近くにあるイーストレイル社所有の倉庫に運ばれて、月曜日から本格的な事故原因の調査がはじまることになっています。なお、散乱した遺体の収容作業は夜を徹しておこなわれるとのことです……」

シャワーストールから出たデヴィッドは、ぐっすり眠りこけているジョセフにちらっと目をやると、バスルームのドアを静かにしめてロックした。そしてシャワーストールのところに引き返すと、ふたたびコックをひねった。

目をつぶって湯をあびる。その表情はけわしかった。やがてタイル張りの床にしゃがみ込んだデヴィッドはシャワーの湯をあびながら、がっしりした肩を震わせはじめた。水音でほとんど聞きとれなかったが、デヴィッドは声をつまらせながら泣いていた。

どうしておれだけが生き残ったのだ？

第3章　イライジャ

一九六九年、ある秋の日の午後、空はどんよりと曇っていたが、せまい街路から地元高校の駐車場にかけてさまざまな屋台が立ちならび、お祭り気分が盛り上がっていた。駐車場の片隅に設けられた簡易トイレの前で順番を待つ女性客の長い列。そのなかに八年前センターシティのショッピングセンターで時ならぬ出産を経験した黒人女性の姿があった。年を重ねてもその美しさは衰えるどころかますます輝きをましていた。女性の名はキャサリン・プライス、地元小学校の教師である。

かたわらに立つ華奢な男の子がそのとき生まれた赤ん坊だった。八歳になったイライジャ・プライスは片脚に金属製のギプスをはめ、両脇に特大のぬいぐるみをかかえていた。しきりにうしろを振り返る。駐車場に据え付けられた色とりどりの乗り物から楽しげな叫び声が聞こえてくるからだ。

ようやく簡易トイレの扉がひらいて、用をすませた先客が出てきた。キャサリンは息子の頭をなでると、一メートル四方のトイレにはいった。ドアをしめる前に、イライジャをチラッと振り返った。「水鉄砲の撃ち合いは、おうちに帰ってからね」

イライジャはうれしげに何度もうなずいた。母親がトイレの扉をしめると、イライジャは女性客たちのなかに一人取り残された。女たちは金属製ギプスをはめた華奢な少年に無遠慮な視線を向けた。じろじろ見られることに辟易《へきえき》したイライジャはその場を離れた。そして楽しげな声に吸寄せられるように人ごみのなかを進んだ。

足を動かすたびにギプスがカシャッカシャッと音を立てた。気がつくと、乗り物を待つティーンエイジャーの集団の中にまぎれ込んでいた。入場口のところで赤と白の縞模様の上着を着込んだ男がチケットを受け取り、客をなかに入れている。イライジャは〈ダーク・サイクロン〉と記された極彩色の看板を見上げた。

ティーンエイジャーたちはくすくす笑いながらティーカップ形のシートに分乗すると、乗り込み口に取り付けられている金属製の横棒をおろした。べつの用でも思い出したのか赤と白の縞模様の上着を着た男がふいに持ち場を離れた。利発なイライジャはその隙を見逃さなかった。すかさず入場口のターンスティルの下をくぐり抜けると、プラットホームによじのぼった。

あいているティーカップを見つけたイライジャはためらうことなく腰をおろした。みんなと同じように錆ついた金属棒をガチャンとおろす。まわりを見まわすと、だれもがうきうきしていた。イライジャも興奮に顔を輝かせた。

ティーカップ形の乗り物は金属製だった。シートに手をつくと硬くてひんやりしていた。にわかに不安をおぼえたイライジャは、弾力性のある特大のぬいぐるみを左右の腕でかかえ込み、クッション代わりにした。これでひと安心。

ふと金属製の横棒が目にとまった。手をのばして触ってみると、錆びついた表面がざらざらしている。イライジャは不安の色をうかべた。硬いものがそばにあるとそれだけで落ち着かなくなるのだ。ふと名案がうかんだ。

イライジャは着ていたセーターをぬぐとそれを金属棒に巻きつけた。ぐるぐると二重巻きにしたうえで左右の袖を結んで固定する。これで大丈夫だ。イライジャは誇らしげな笑みをうかべながら特別仕様のティーカップを見まわした。

「イライジャ……」遠くのほうから母親の声が聞こえた。イライジャは声のしたほうに目をやった。そして人ごみのなかに母親の顔をさがした。

キャサリン・プライスは人ごみをかき分けながら進んでいるうちに、偶然にもダーク・サイクロンの前にたどり着いた。すぐさまプラットホームを見上げて、灰色のティーカップに腰かけた子供たちの顔を確認してゆく。たちまち息子の顔を見つけだしたキャサリンは不安そうに顔を曇らせた。イライジャは母親の心配をよそに手を振った。

ゴロゴロと大きな音を立てながらプラットホームが回転しはじめた。イライジャは母親に向かって大声で叫んだ。「ぼくなら大丈夫だよ、ママ。心配しないで!」

しかしその声はティーンエイジャーたちの歓声と機械音にかき消された。プラットホームの回転が速くなると、母親の姿は一瞬しかとらえることができなくなった。赤と白の縞模様の男をつかまえてなにかいっている。イライジャのほうを指さして、しきりになにかいい立てている。

もう一回転すると、こんどは赤と白の男が母親をどなりつけていた。すごく怒っていることがここからでも見てとれた。プラットホームの回転速度がさらにアップすると、灰色のティーカップ自体もくるくるとまわりはじめた。少年少女たちは歓声をあげた。心地よい風になぶられながらイライジャも喜びに顔を輝かせた。

プラットホームがいきなり逆回転をはじめると、それにつられてティーカップも思いがけない動きをみせた。みんなあわてて金属製の横棒にしがみついた。イライジャは右側のぬいぐるみに寄りかかりながら笑い声をあげた。しかし回転が激しくなると、ぬいぐるみは両方とも床にころげ落ちた。

イライジャはあわてて金属製の横棒に手をのばした。巻きつけておいたセーターはいつのまにかほどけて床に落ちていた。赤と白の男たちがちらっと見えた。さっきまで一人だったのに。ふとそんなことを思った。

また回転の方向がかわった。遠心力に抗しきれず横棒から思わず手をはなしたイライジャは金属製のシートにたたきつけられた。腕が異様にねじまがり肩の骨がボキッと折れる音が聞こえた。ほかのティーカップではティーンエイジャーたちがキャーキャーと大声をあげていたが、イライジャの悲鳴もそれに負けなかった。

イライジャは苦痛と恐怖におののきながら、くるくるまわる雲を見上げた。ふいに回転方向がかわった。こんどは金属製の横棒に真正面からたたきつけられた。錆びついた横棒に嫌というほど胸をぶつけ、肋骨がボキボキと折れる音が聞こえた。

笑い声と叫び声がそこらじゅうから聞こえる。イライジャは気が遠くなり、あお向けに倒れこんだ。

ようやく回転速度が落ちて、プラットホームはゆっくりと動きをとめた。イライジャはぼんやり空を見上げていた。さっきまでくるくるまわっていた雲がゆっくり流れてゆく。

ふいに男のどなり声にまじって母親の興奮した声が聞こえた。「さっきから何度もいってるように……あの子は……あの子はとても骨がもろいんです……」

母親の声がしだいに近づいてきた。「イライジャ……」

ティーカップのへりから母親の顔がのぞいたが、イライジャは激痛のあまり声を立てることができなかった。

胸をおさえて横たわる息子の姿を目にしたとたんキャサリンは悲鳴をあげた。息子の左腕はS字形にねじまがり、ぽかんと口をあけたその顔は恐怖に凍りついていた。

八歳のイライジャはかすかに苦悶のうめきをもらすとそのまま意識を失い、一時的ではあるが、息もできない激痛から解放された。

第4章　リミテッド・エディション

　街の中心部からすこし離れたカトリック教会の前には報道陣がつめかけていた。警官隊の規制によって通りの反対側に追いやられていたが、遺族をはじめ会葬者が車で到着するたびに悲しみにくれる姿をビデオや写真に撮った。遠慮や思いやりをどこかに置き忘れ、功名心だけが先走るカメラマンや記者たち。その貪欲さは獲物にくらいつくハイエナを思わせた。

　つぎつぎと訪れる会葬者のなかに正装したデヴィッド・ダンの姿もあった。

「デヴィッド・ダン！」だれかが彼の名を呼んだ。

　デヴィッドは思わず振り返ったが、声の主を特定することはできなかった。記者やカメラマンたちがいっせいにカメラを構えたからだ。カメラの放列は戸惑いの色もあらわに立ちつくす被写体をとらえると容赦なくシャッターを切った。

　デヴィッドはくるりと背を向けると逃げるように階段をのぼった。カトリック教会の正面入口には磁気吸着式ボードが掲げてあり、それには〈列車事故犠牲者追悼式会場〉と記されていた。会堂にはいるとすでにミサがはじまっていた。

書見台を前にして立つ司祭は、犠牲者の名をひとりひとり読みあげて、その冥福を祈った。祭壇の両側には一三一名の顔写真やスナップ写真を貼りつけたパネルが置いてあった。「サラ・エラストン、ブロード・アンド・ローカスト・コミュニティ・センター所属のソーシャル・ワーカー。安らかに眠りたまえ……」

信徒席のなかほどに空席を見つけて腰かけたデヴィッドはパネルの写真を一人ずつ見ていった。そのあいだも司祭の声は途切れることなくつづいた。

「……ケヴィン・エリオット、ビジネスマン、六児の父。安らかに眠りたまえ……グレン・スティーヴンス、ドレクセル大学教授、白血病の専門家。安らかに眠りたまえ……ジェニファー・ペニーマン、ジェファーソン小学校教師。安らかに眠りたまえ……」

デヴィッドはパネルのなかにケリーの写真を見つけた。輝くばかりの笑顔をこちらに向けている。デヴィッドはたまたま同じ列車に乗り合わせて、わずかながらもことばをかわした唯一の相手をいつまでも見つめていた。

＊＊＊＊＊

追悼ミサが終わるとデヴィッドは会堂奥の執務室に司祭をたずねた。どうしても聞いておきたいことがあったのだ。五十がらみの司祭はかなり疲れたようすで目も充血していたが、どっしりしたクルミ材の机をはさんでデヴィッドと向き合った。

「わたしは大学時代、フットボールの選手でクオーターバックをやってました。あれは三年生のときでした、ある試合から連戦連勝、まったく負けなくなったんです」デヴィッドは真剣な表情で切りだした。「そうなると、ゲンをかついで迷信じみたまねをするようになる。毎回同じソックスをはいたり、毎回ゲーム前にB・B・キングの同じ歌を聴いたり。わたしなんか、スパイクのひももしめなかった。そうやってツキを逃すまいとした……でも今回の一件は、そんなツキとか運では片づけられない問題のような気がするんです……わたし一人が生き残ったのには、なにか特別な意味があるんじゃないか……そう思えてならないんです」

じっと耳を傾けていた司祭はおもむろに口をひらいた。「デヴィッド、あなたは信心深いタイプですか？」

デヴィッドは即座に首をふった。

司祭は聖職者のしるしであるストールを襟元からはずすと、ていねいに折りたたんでからそれにキスした。「それはかえって好都合です。これからお話することは、聖職者ではなく、一個人としての見解です。そのつもりでお聞きください」

「わかりました」デヴィッドはうなずいた。

「あなたは非常に運がよかったのです」司祭は自信たっぷりに断言した。

しばらく沈黙がつづいた。だれかが練習をしているらしく、会堂のほうからパイプオルガンの音がかすかに聞こえてきた。

「それだけですか?」デヴィッドは承服しかねた。

「そのとおり、純然たる運の問題で、それ以外に意味はありません」司祭は断固たる口調で自説をくりかえした。デヴィッドは無言のまま話のつづきを待った。

「三年前、フィラデルフィア国際空港を離陸したばかりのジェット旅客機が墜落して、わたしの従弟が亡くなりました」司祭はたずねた。「この事故をおぼえていらっしゃいますか?」

デヴィッドはだまってうなずいた。

「わたしは何日も祈りつづけてようやく、この事故の意味らしきものをみいだしました。しかし心の平穏をとりもどしたのも束の間、それから一年もしないうちにダウンタウンのホテル火災で、わたしの教区の信者であるご家族全員が焼死なさいました。また何日も祈りつづけたすえ、意味らしきものをみいだしました……」司祭は疲れきった表情で話をつづけた。「そして二日前、わたしの甥がニューヨークから帰るためにあの列車に乗りました。生まれて初めての一人旅でした……ご自身のことについて、〝奇蹟〟とか〝神の恩寵〟といった返事を期待しておられるのでしたら、申し訳ありませんが……いまのわたしは適任ではありません」

返すことばがなくしばらくだまりこんでいたデヴィッドはためらいがちに口をひらいた。

「わたしの腕時計は特大のハンマーで一撃されたかのように、ぺしゃんこになっていたんですが……」

感情の昂ぶりを抑えきれなくなったのか司祭は思わず声を荒げた。「一二歳になったばかりの甥の頸椎は四個所も折れていました……なにをおっしゃりたいのです？　ご自分が神に選ばれた者であるとでも？　残念ながら同意しかねます」

それっきり二人ともだまりこみ、気まずい沈黙がつづいた。

＊＊＊＊＊

教会の外へ出るとだれもいなかった。近くの駐車場まで歩いたデヴィッドは、ぽつんと一台だけとりのこされた自分の車に近づいた。運転席側にまわってポケットからキーを引っぱりだす。ふとフロントガラスに目をやると、ワイパーに灰色の封筒がはさみこんであった。デヴィッドは手をのばしてその封筒を引き抜いた。表には彼の名がタイプしてあった。裏返すと、〈リミテッド・エディション〉と浮き出し印刷されていた。

封筒をひらくと索引カードが出てきた。それには手書きでこう記されていた――あなたはいままでに何回、病気になったことがありますか？

書いてあるのは謎めいたその一文だけで、ほかにはなにも記されていなかった。デヴィッドは思わず無人の駐車場を見まわした。

＊＊＊＊＊

翌朝、現在の派遣先になっているフランクリン州立大学に出勤したデヴィッドは、まず着替えのため警備員控え室にはいった。両側に古ぼけた金属製ロッカーがならぶ薄暗い室内。その真ん中にくたびれたベンチが一つと茶色の折りたたみ式テーブルが一つ置いてあった。ドーナツとベーグルの空箱が片隅に積み上げてある薄汚いテーブル。酔っ払いのゲロみたいな色合いのコンクリート床。みすぼらしさを絵に描いたような室内で、朝の儀式が黙々とはじまった。

デヴィッドと三人の大柄な男たちはむっつりとだまりこんだまま私服をぬぐと、黄色のおそろいの半袖シャツに着替えた。その背中には〈スタジアム警備〉の文字がプリントされていた。シャツの上にダークグリーンのウインドブレーカーをはおり、これまた〈警備〉の縫いとりがある縁なし帽をかぶる。

着替えをすませたデヴィッドはゆるやかにカーブした薄暗い通路を進んだ。スタンドへ通じる連絡通路にさしかかるたびに、フットボールフィールドを見下ろす四〇〇〇の観客席がちらりと見えた。デヴィッドは事務室と記されたドアの前で立ちどまった。ノックして戸口から顔をのぞかせる。

せまくるしいオフィスでは、かなり年配の女性秘書が一人、タイプを打っていた。年配の女性秘書は人の気配がしても顔をあげようとはしなかった。

「なにか?」年配の女性秘書はタイプに向かったままこたえた。

「ノエルいますか?」ボブ・ノエルはデヴィッドの直属の上司である。

「いま不在です」女性秘書はデヴィッドの声をちゃんと聞き分けた。「新聞であなたの記事を読みましたよ」

「それはどうも」

「わたしもむかし事故にあったことがあります」秘書はタイプを打ちながら淡々と思い出話をはじめた。「馬の下敷きになって死にかけました」

「へえ」いきなりそんな思い出話を聞かされても返答に困る。デヴィッドはあたりさわりのない返事をした。

「その馬は安楽死させましたよ」

「悲しい話ですね」待ちかねたようにそうこたえると、デヴィッドは本題にはいった。「ノエルに伝言をお願いできますか?」

年配の女性秘書はすぐさま右手でボールペンをにぎるとメモ用紙を手元に引き寄せた。しかし左手は休むことなくタイプを打ちつづけていたし、顔は一度もあげようとしなかった。「どうぞ」

「ここで働きはじめてから病気で欠勤した日が何日くらいあるのか教えてほしいと」デヴィッドはいった。「そう伝えてもらえませんか?」

「ほかには?」年配の女性秘書は問い返した。

「それだけです」デヴィッドはこたえた。「よろしく」

＊＊＊＊＊

午後になると雨が降りだした。デヴィッドはフィールドへ通じるトンネルのような出入口に立っていた。ダークグリーンのフード付きポンチョを身につけたその姿には一種独特の風格があった。ポンチョの裾は膝下まであり、かなり使い込んでいるせいか背中にプリントされた〈警備〉の文字はほとんど消えかけていた。遠目や暗がりでは、マントをはおっているように見えるかもしれない。

フィールドでは練習がおこなわれていた。もちろんスタンドにはだれもいない。練習用プロテクターをつけて雨のなかを走りまわる選手やコーチたち。フランクリン州立大学フットボールチーム〈ウォリアーズ〉は、残り時間がわずかになった試合終盤を想定したツーミニッツ・オフェンスの練習をくりかえしていた。

デヴィッドは特訓をつづける選手たちに見とれた。よく鍛えあげられた連中だ。パワフルですばしっこい。なめらかで無駄のない動き。まるで若き神々のようだ。

デヴィッドは若き日の血のたぎりを思い出しながらいつまでも練習をながめていた。

夕刻になってロッカールームに引き返すと、同僚たちはすでに着替えをすませて帰宅しており、残っているのはデヴィッド一人だった。シャワーをあびて私服に着替えたものの、すぐに帰る気がせず、ベンチに腰かけて物思いにふけった。しかし、いつまでもぐずぐずしているわけにはいかない。

おもむろに立ち上がったデヴィッドは、脱ぎ捨てた半袖シャツをハンガーにかけて、ロッカーのなかに吊るそうとした。しかしロッドのつなぎ目がへたっていたらしく、ポンチョやウインドブレーカーなどほかの衣類もろとも落下した。デヴィッドはため息をつくと、クシャクシャに折り重なった衣類をぼんやり眺めた。

あす出勤したらすぐにロッドの修理を頼もう。そう思いながらロッカーの扉をしめると、いつやって来たのか戸口のところに妊婦みたいに腹の突き出た中年男が立っていた。上司のボブ・ノエルである。

「やあ、ノエル」デヴィッドはいつもの口調であいさつした。

「おまえ、あの事故で頭をぶつけて、脳みその血のめぐりがよくなったのか?」ノエルは皮肉たっぷりに切りだした。

「え?」デヴィッドは戸惑いの色をうかべた。

ノエルはそんな部下の顔をじっと見つめると、思いがけないことばを口にした。「四〇ドル」

デヴィッドはなんのことか理解できず、反射的に聞き返した。「四〇ドル？」

「週給を四〇ドル、アップしてやる……それで文句はあるまい」ノエルはこたえた。しかしデヴィッドがはっきりした返事をしないので、説明をつけくわえた。「伝言を聞いてからすぐに調べてみた。おまえは一日も休んでいない。この五年間、みごとに病欠ゼロだ。おれはすぐにピンときた。ははん、こいつは昇給の要求だな、と。おまえ、見かけによらず駆け引きがうまいな」

とんだ誤解だが、それを説明したところで理解してもらえるとは思えず、デヴィッドは返事に困った。ノエルはその態度をまた誤解した。「わかったわかった。五〇ドル引きあげてやる。これがギリギリの線だ。それならいいだろ？」

デヴィッドはおもむろにうなずいた。考えてみれば、給料をあげてもらうに越したことはない。

＊＊＊＊＊

ベッドにあお向けに横たわり天井をぼんやり見上げていたデヴィッドはふと、かたわらに目をやった。息子のジョセフはぐっすり寝込んでいる。デヴィッドは息子の眠りをさまたげないようそっと起き上がると、ドアを静かにあけて階段をおりた。

来客用の寝室のドアを静かにノックする。寝室のドアはすぐにひらき、オードリーが顔をのぞかせた。そしてデヴィッドの顔を見たとたん、心配そうに眉をひそめた。

「ジョセフがどうかしたの?」オードリーは小さな声でたずねた。

デヴィッドもささやくような声でこたえた。「ぐっすり眠っている」

オードリーはホッとしたようすでうなずいた。二人は顔を見合わせたまま、その場に立ちつくした。気まずい沈黙をやぶったのはデヴィッドだった。「ちょっと聞きたいことがあってね。妙な質問だと思うかもしれないが、正直にこたえてくれないか?」

オードリーはだまってうなずいた。

「このまえおれが病気になったのはいつだったか、おぼえているかい?」

オードリーは思いがけない質問にめんくらった。ひょっとしたら頭を打っておかしくなったのかもしれない。そんな不安をおくびにもださずオードリーは落ち着いた声でこたえた。「さあ、ずっとまえじゃないかしら」

デヴィッドはすかさずことばを継いだ。「すくなくともこの一年間、病気になったことは一度もない。それだけは確かだ」

「で?」オードリーはいぶかしげな表情をうかべた。

「おれが病気になったときのことをおぼえているかい?」

「いきなりそういわれてもね」オードリーは問い返した。「どうしてそんなことを聞くわけ?」

デヴィッドは妻の問いかけにはこたえず、同じ質問をくりかえした。「オードリー、おれが病気になったときのことをほんとうにおぼえていないか?」

オードリーは相手の真意をはかりかねた。どうこたえていいかわからず、しばらく沈黙がつづいた。

「この家に引っ越してきて三年になるが、そのあいだに病気になったことはあるかい?」デヴィッドはいいつのった。口調こそ穏やかだが声はしだいに熱をおびはじめた。「まえのアパートに住んでいたときはどうだ? ジョセフが生まれるまえは? 結婚前は?」

オードリーは顔をしかめた。「……おぼえてないわ、そんなこと」

「ヘンだと思わないか?」デヴィッドはどこまでも病気問題にこだわった。「熱をだしたおぼえもなく……カゼをひき、喉が腫れた記憶もないなんて。これはいったいどういうことだろう?」

オードリーはそっけなくこたえた。「わたしたち二人とも疲れきっているのよ、そうしたことが思い出せないくらいに」

デヴィッドは口をつぐんで考え込んだ。こんどはオードリーのほうから沈黙をやぶった。

「聞きたいことってそれだけ?」

デヴィッドはうなずいた。「ああ」

「ほんとに?」オードリーはすこしばかり腹を立てていた。「このまえ電球を替えたのはいつだったとか、このまえピンク色のシャツを着たのはいつだったとか。午前二時にわけのわからない質問を受け付けるのはこれが最後だから、聞くならいまのうちよ」

「もういい」デヴィッドは物思いにふけったまま、うわのそらでこたえた。

「あの列車事故はジョセフにとってものすごいショックだった」オードリーは気をとりなおしていった。「またあなたの身になにか起きるんじゃないかって、それが不安でしようがないの。だからそばを離れないのよ」

デヴィッドは妻の顔をじっと見つめた。「わかってる。そろそろ部屋にもどるよ」そういうと、しばらく間を置いてからあらためて問いかけた。「ところで、このまえピンク色のシャツを着たのはいつだった?」

「三年前、ミッチェルのところでバーベキューパーティーをやったとき」オードリーはよどみなくこたえた。

デヴィッドもその日のことを思い出した。「そういえば、あのとき……」

「短パンもピンク色だった」オードリーはにこりともしないでいった。「目がチカチカしたわ、わたし」

作り笑いをうかべる夫をよそにオードリーはくるりと背を向けると寝室にはいろうとした。

デヴィッドはその背中に「おやすみ、オードリー」と声をかけた。

オードリーはチラッと夫を振り返ると、顔を伏せるようにしてこたえた。「おやすみなさい、デヴィッド」

オードリーはふたたび背を向けると寝室のドアを静かにしめた。

第5章　運命の糸

一九七四年、一三歳になったイライジャ・プライスは西フィラデルフィアのこじんまりしたアパートに母と二人、つつましく暮らしていた。母親と同じく小学校の教師だった父親はイライジャが生まれてまもなく膵臓ガンで世を去った。頼りにしていたパートナーを失い気落ちした母だったが、不幸はそれだけにとどまらず、それから半年もしないうちに実家の祖父母があいついで亡くなった。

あのときは本当につらかったと母親から何度も苦労話を聞かされたイライジャだが、彼自身、一三歳になるまでに筆舌に尽くしがたい苦難を味わっていた。八歳のとき、お祭りに行き〈ダーク・サイクロン〉という乗り物で全身の十数個所を骨折した。全治までほぼ一年を要した。それほど重傷ではないものの、それからも骨折事故はつづいた。どうして、ぼくだけが？　日増しにその思いはつのった。しかし理不尽な運命はすこしも手をゆるめようとしなかった。

先日も右腕を骨折したばかりだ。教室にはいろうとしてうしろから押され、つまずいてころんだら、あっけなく前腕部の骨が折れた。それから学校を休み、傷がほとんど癒えたいまも腕を吊ったまま家に引きこもっていた。

居間の椅子に腰かけたイライジャはスイッチのはいっていない白黒テレビの画面をにらみつけた。そこには湾曲した自分の姿が映っていた……なんとも冴えない顔つきだ。玄関扉の開閉する音が聞こえた。母親が仕事からもどってきたのだ。

居間にはいってきたキャサリン・プライスは、椅子にしょんぼり腰かけている息子の姿を見て胸のつぶれるような思いを味わった。気持ちを奮い立たせてその背後に歩み寄る。

「いつまでも家に閉じこもっているわけにはいかないのよ」キャサリンは息子をたしなめた。

「いいかげんにしなさい」

イライジャはテレビ画面をにらみつけたまま、ふてくされた口調でこたえた。「外へは二度と出ない。もう痛い思いをするのはイヤだ。骨を折るのはこれでおしまいにするんだ。このあいだもそういったろ」

母親は駄々をこねる息子を懇々とさとした。「そんなことできっこないでしょ。そのテレビと椅子のあいだでころんでも骨を折るかもしれないのに。これは神様がおまえにおあたえになった運命なのよ。だから逃げも隠れもできない。あきらめて受け入れるしかないのよ」

イライジャは正面を向いたまま、かたくなな態度をくずそうとしなかった。「ぼくは学校でミスター・グラスって呼ばれているんだ。ガラスみたいに壊れやすいから」

キャサリンはささやくような声で告げた。「つらいかもしれないけど、ここでくじけたらおしまいよ。一生おどおどしながら暮らしたいの？」

イライジャはようやく母親を振り返った。その美しい瞳は涙にうるんでいた。イライジャも胸がいっぱいになり、声をつまらせた。母子はしばらく無言のまま顔を見合わせた。さきに沈黙をやぶったのはキャサリンだった。「……あなたにプレゼントがあるの」

「どうして？」イライジャはいぶかしげに問い返した。誕生日でもないのに解《げ》せなかった。プレゼントをくれる理由が思い当たらないからだ。

母親はきっぱりといった。「理由《わけ》はいいから。ほしいのほしくないの、どっち？」

イライジャはしばらく考えてから、ほしいというふうにうなずいた。

「じゃあ取ってきなさい」キャサリンは命じた。

「どこにあるの？」

「外のベンチ」

イライジャはそんなバカなという表情をうかべた。

「わたしがウソをいうと思うの？」キャサリンは窓の外を指さした。

思わず立ち上がったイライジャは居間の窓辺に歩み寄った。アパートの建物に面したせまい通りをはさんで反対側に小さな公園があった。いまも数人の子供たちが遊んでいる。公園の一角にブランコがあり、その横にベンチが三つならんでいた。きれいな包装紙につつまれた箱が真ん中のベンチに立てかけてあった。

イライジャは窓辺に歩み寄ってきた母親を振り返った。「あんなところに置いといたら、とられちゃうよ」

「それなら急いだほうがいいわよ」

イライジャはケガのことを忘れて自宅を飛び出した。しかし通りを渡って公園に足を踏み入れると、走りまわっている子供たちにぶつからないよう慎重に道を選んだ。そしてプレゼントが置いてあるベンチにたどり着くと、その横に腰をおろした。さっそく母親からの贈り物を膝にのせた。長方形のひらべったい品物で、さほど重くない。

もどかしげに白いリボンをほどき、包装紙を破くと、コミックブックが一冊あらわれた。表紙に〈アクティブ・コミック〉と記されている。イライジャはヒーローの姿がカラフルに描かれた表紙に目を奪われた。人の気配を感じて反射的に顔をあげると、母親がすぐそばに立っていた。

「まだたくさんあるのよ。これから外に出るたびに一冊ずつあげるわ」キャサリンは息子に告げた。「それはね、最後にあっと驚くどんでん返しがあるそうよ」

利発そうな目を輝かせながら母親の顔を見つめていたイライジャは、膝にのせたコミックブックに視線をもどすと、すぐさま表紙をめくった……。

*****

それから二五年後、立派に成人したイライジャ・プライスは一三歳のときと変わらぬ知的な目を光らせながら、壁にかかった額の前に立っていた。室内にもかかわらず黒革の手袋をはめた手にステッキをにぎりしめながら。

そこはイライジャ自身がオーナーをつとめる画廊だった。白い壁に額入りで展示されているのはいずれもコミックの原画や下絵である。一三歳のとき、母親の手引きによってコミックと運命的に出会ったイライジャは、たちまちコミックの世界にのめり込んだ。生まれつき骨の組成に異状があるせいで、いくら注意しても骨折は避けることができず、それからも入退院をくりかえした。

その間、コミックに読みふけるいっぽう、成人してからは株取引にも手を出すようになった。骨のもろい虚弱な身体ではふつうの勤めは無理である。ある日、一念発起したイライジャは株取引の基礎知識を独習すると、持ち前の鋭利な頭脳を駆使して、病院で過ごす長い時間を市況の分析にあてるようになった。やがてシミュレーションをくりかえして自信を深めると、母親を説得してその蓄えを借り受け、こつこつと儲けをだしていった。広汎な知識と高度の情報分析能力と鋭い直感を要する株取引は、ある意味で、イライジャの天職といえた。コミックにしても株取引にしても、そのどちらかに熱中しているあいだは、苦痛と孤独感を忘れることができる。

しかし、いつまでも株屋まがいの暮らしをつづけるつもりはなかった。ある程度まとまった資金がたまると、利幅の大きいオプション取引をはじめるようになった。折からの株式ブームにものり、イライジャの読みはことごとく的中した。とくにコンピューター関連株ではしこたま儲けた。かくして三〇そこそこで億万長者の仲間入りを果たしたイライジャは、コンサルタント会社に資金運用をまかせると、株取引と並行してはじめていたコミック原画の収集に本腰を入れるようになった。

自分でも納得のゆくコレクションができると、こんどはそれを展示する場所がほしくなった。

そこで不動産屋をあちこちあたってみると、イタリアン・マーケットにほど近いサウス・ストリートの一角に手頃な物件が見つかった。レストラン街からはすこし離れたところにあり、アンティークや花屋などがぽつりぽつりと店を構える比較的閑静な場所である。表通りに面した広々としたスペースを展示室にあて、その奥にコミックブックの収蔵庫と秘密の仕事場を設けた。その仕事場には母親も立ち入らせなかった。同じ建物の五階に自宅マンションがあり、そこで教職を早めに退いた母親と暮らしていた。

やがてイライジャの画廊は展示だけでなく、販売も手がけるようになった。もっとも販売といっても同好の士と喜びを分かちあうのが主たる目的で、採算は度外視していた。したがってコミック原画の美術的価値を理解しようとしないコレクターは、いくらカネを積まれても相手にしなかった。とりわけ癇に障るのが日本人コレクターで、英語もろくに話せないくせにやたらと札びらを切るので、何度どなりつけたかわからない。まったくサルみたいな連中だ。そう母親にこぼすと、第二次大戦中に日本軍の捕虜になったお祖父さんも同じようなことをいっていたと教えられた。とはいうもののゼニの亡者みたいな日本人ばかりではなく、すぐれた文化人もいると母親はつけくわえた。グレン・グールドの演奏をことのほか愛する母親は、グールドの伝記を読んでその愛読書がある日本人作家の著作であると知り、自分もその英訳本を読んで感銘をうけたというのだ。そこでその『草枕』なる小説を拾い読みしてみたが、イライジャにはおもしろくもなんともなかった。もっとも日本の漫画にはそれなりに関心があり、あれこれ目を通していたが、アート性に関するかぎりアメリカのコミックが一番だという信念はゆるがなかった。

だからこそ愛情と熱意をこめてコミック・アートを語れるのだ。いまもビジネスマンらしき顧客を相手に熱弁をふるっていた。初対面の相手だが、懇意にしているコレクターの紹介なので、とっておきの逸品を紹介することにしたのだ。二人が見つめているのは、コンテで描かれたスケッチである。ビルの屋上で死闘をくりひろげる宿敵同士。いっぽうはマスクをかぶった筋肉隆々のヒーローで、もういっぽうは半人半獣の悪玉である。

「これはフリッツ・カンピオン本人が所蔵していた素描で、一九六八年にこのシリーズの第一話が書店にならぶまえに描かれたものです」イライジャはビジネスマンにちらっと目をやると、額入りの原画を振り返った。「ごらんのとおり、善悪の対決を典型的な構図で描いています。コミック・ヒーローの例にもれず、スレイヤーは角張った顎。それにひきかえジャガーロの頭部は胴体とのバランスからいっていささか大きめでしょう。これは悪党を描く古典的な手法です……しかしながら、このスケッチに関するかぎりデフォルメは最小限におさえられ、驚くほ

ど リアルなタッチで両者を描き分けていますよ……これは掛け値なしにお値打ち品ですよ」

額入りのスケッチをじっと見つめていたビジネスマンはおもむろに顔をこすると、決断をくだした。「よし、もらおう」

「さすがにお目が高い」イライジャはビジネスマンの審美眼を称えると、梱包の準備にとりかかるためにすぐ隣のオフィスへ向かった。梱包や配送といった雑務はいつもなら母親に手伝ってもらうのだが、きょうはノーマン・ロックウェル美術館でおこなわれている特別展に出かけており不在だった。

「子供もきっと大喜びするだろう」ビジネスマンはうれしげにいった。

イライジャはステッキをカーペットに突き立てるようにしてふいに立ちどまると、ゆっくり振り返った。「いま、なんとおっしゃいました?」知り合いの紹介だというのでつい気を許してしまったが、場違いな客を押しつけられたらしい。

ビジネスマンは素描を見つめたままこたえた。「息子へのプレゼントにしようと思ってね」

「息子さんはおいくつですか?」イライジャは不穏な表情で問いただした。

「四歳だ」ビジネスマンはイライジャが血相を変えたことに気づかなかった。

「あなたにはお売りできません」イライジャは相手をにらみつけると激しく首をふった。「まったく……即刻お引き取り願えますか」

ビジネスマンはあっけにとられた。「なにか気に障ることでも?」

「ここにテレタビーズがいますか?」イライジャは鬼のような形相でまくし立てた。テレタビーズは幼児番組に登場する四人組のキャラクターで、意味不明の言語をしゃべる。幼児がそのものいいをまねるので、教育上問題だと一時物議をかもしたことがあった。「わたしの胸にプラスチックの名札がついていますか? 第一、店の外に二五セントで動くヘリコプターの乗り物はありましたか? おもちゃ屋なら当然あるはずだ。ちがいますか?」

ビジネスマンは釈明しようと口をひらきかけたが、イライジャはたたみかけるように決めつけた。「あなたはここをおもちゃ屋だと思っておられるようだ。四歳の子供へのプレゼントを買おうとなさったんだからね。とんだ勘違いのおかげで貴重な時間が無駄になってしまった」

イライジャは蒼ざめたビジネスマンを怒りのこもった目でにらみつけた。「いいですか、ここはアート・ギャラリーなんですよ」そういうと、額入りの素描を指さした。「そして、これは芸術作品なんです。フリッツ・カンピオンの肉筆原画で現存するものはわずか一七枚。これはその貴重な一枚で、希少価値は計りしれない。それを幼児へのプレゼントにするなど言語道断。いますぐお帰りください」

ビジネスマンは目をまるくして額入りの素描を見つめた。それほどの値打ちものならぜひとも手に入れたいところだが、店主の剣幕からいって購入できる可能性はゼロに等しい。ビジネスマンはおのれの軽口を悔いながら正面扉へと向かった。

イライジャはそのうしろ姿をにらみつけると、不機嫌そうに背を向けた。表通りに出てゆくビジネスマンと入れ違いに、二人連れの客がはいってくるのがチラッと見えた。イライジャは肩ごしに来客を断った。「うちは予約客しか受け付けません」

「招待状をもらったものでね」二人連れのうちいっぽうがいった。

「郵便がちゃんと届いてよかったですね」イライジャは皮肉たっぷりにこたえた。「……しかし展覧会は二週間先ですよ」

「こいつはワイパーの下にはさみこんであった」

イライジャはあわてて振り向いた。新聞にその顔写真がでかでかと載っていたデヴィッド・ダンが目の前に立っていた。かたわらに立っているのはおそらく息子だろう。イライジャはデヴィッドの顔を見つめながらおもむろに歩み寄ると、ささやくような声で話しかけた。「病気にかかったことは一度もない、そうですね？」

「それが……」デヴィッドはためらいがちにこたえた。「いまひとつはっきりしない」

デヴィッドとイライジャは無言のまま顔を見合わせた。さきに沈黙をやぶったのはイライジャだった。「リドラーの謎かけじゃあるまいし、こたえるのはそんなにむずかしくないはずだが……」リドラーとはもちろんゴッサムシティに巣食う悪党で、バットマンの宿敵の一人である。

＊＊＊＊＊

イライジャのオフィスは展示室のすぐ隣にあり、ガラス張りの戸口ごしに展示物を一望することができた。オフィスは落ち着いた雰囲気で、手織りの絨毯を敷きつめたフロアにアフリカの木像や土偶がならび、北欧ふうのしゃれたデスクの背後には古代エジプトの羊皮紙写本、両方の壁にはギリシャ神話をモチーフにしたエッチングや中世ロシアのイコンが飾ってあった。

イライジャはデスクをはさんでダン親子と向き合った。ジョセフは紙コップにいれて出されたミネラルウォーターをすすっていたが、デヴィッドは飲み物に手をつけなかった。

「まず、どれくらい確信があるのか、パーセントでこたえてもらいたい」イライジャはおもむろに切りだした。

デヴィッドはためらいがちにこたえた。「……七五パーセントぐらいかな」

「そんなに自信がないようでは話にならないな。それがまず第一の欠点」イライジャは憮然とした表情でいった。「これできわめて疑わしくなってきた……」

「疑わしいってなにが？」デヴィッドはいぶかしげに問い返した。

「ケガをしたことが一度もないと思っていたのだ」イライジャはたずねた。「間違っているかね、わたしの推論は？」

「パパならケガしたことあるよ」ジョセフが口をはさんだ。

「それは間違いないのか？」イライジャは眉をひそめた。

デヴィッドは正直にこたえた。「ああ。大学時代に交通事故にあった」

「重傷だったのか？」イライジャはすかさずたずねた。

デヴィッドがうなずくと、またしてもジョセフが口をはさんだ。「そのケガのせいでフットボールができなくなったんだよ」

イライジャはしばらくだまりこんでから、不機嫌そうにいった。「それが第二の欠点だな。しかも致命的ですらある」

「プライスさん、どうしてあんな質問状をよこしたのか、まずそれを教えてもらえますか」デヴィッドはあらたまってたずねた。

「イライジャと呼んでくれ……」イライジャは気をとりなおした。「よろしい……かねてからわたしの頭のなかに宿っているある考えをお聞かせしよう」

ジョセフは父親に身をよせると、口元を手で隠してささやきかけた。「なんだか気味の悪い人だね?」

デヴィッドは静かにするよう身ぶりで命じた。父と子はイライジャの話がはじまるのを黙然と待った。

イライジャはおもむろに口をひらいた。「わたしは長年、コミックを研究してきた。入院生活が人生の三分の一を占めるとなると、ほかにやることはないからね。その結果、コミックも歴史伝達の手段の一つではないかと思うようになった。古代エジプト人は絵を描いて知識を伝えた。いや、エジプトにかぎらず、世界各国で同じような事例を数多く見ることができる。したがって、コミックも歴史書の一種でありうる。おそらく、どこかでだれかが経験したり感じたりしたことを記録したものなのだ。もちろん、コミックに描かれるそうした経験、つまり歴史は、商業ベースにのせるためにおもしろおかしく誇張されているがね……」そう説明するとイライジャはふいに話題を変えた。「この街ではここ数年、大事故があいつぎ、いずれも大々的に報道された。そうしたニュースにわたしは注目した。ジェット旅客機の墜落事故のときも、ホテル火災のときも、わたしはある知らせを待ちつづけたが、結局期待はずれに終わった……ところがある日、列車事故のニュースを見ていたわたしは待ちに待った知らせを受け取った……奇跡的に生き残った乗客が一人だけおり、しかも無傷だというではないか。わたしの仮説はにわかに現実味をおびはじめた……ここまでは理解してもらえたかな?」

デヴィッドは表情を変えずにこたえた。「ああ。あんたの仮説とやらが現実味をおびてきたんだろう」

イライジャはうなずくと、デスクに立てかけたステッキを指先でさすった。「わたしは骨形成不全症という病気でね。これは遺伝病で、ある種のたんぱく質が組成できないために、骨の密度がいちじるしく低下し、きわめて折れやすくなる。わたしはいままでに五四回骨折しているが、それでもいちばん軽症の……第一分類にはいる。さらに第二分類、第三分類、第四分類とあって、第四分類になると長生きできない。そこで、ふと思いついたのだ、ある仮説を」そういうと、デヴィッドとジョセフの顔をじっと見据えた。「世界のいっぽうの端にわたしのような人間がいるのなら、その対極に正反対の人間がいてもおかしくない。ケガもしなければ病気にもならない人間。しかも自分のそうした力に気づいていない人間がいてもね」イライジャは隣の展示室のほうを身ぶりで示した。「あのようなかたちで語り継がれてきたのは、そういった人間、すなわち、われわれを守ってくれる存在……守護者ではないのか、と」

イライジャの話が終わるとしばらく沈黙がつづいた。デヴィッドはむっつりとだまりこみ、ジョセフはぽかんと口をあけていた。茫然としていたジョセフがおずおずとたずねた。「つまり、パパがその——」

「いまのところなんともいえない……」イライジャはジョセフの発言をさえぎった。「可能性はあるが、欠点が多すぎる」

「ジョセフ、それ以上飲むんじゃないぞ」デヴィッドはだしぬけに命じた。

ジョセフは両手でかかえていた紙コップを思わずのぞき込んだ。中身はごくふつうのミネラルウォーターである。

「残りはゴミ箱に捨てなさい」デヴィッドはつづけて命じた。

「でも……」ジョセフは父親を振り返った。

「いいから、いわれたとおりにしなさい」

ジョセフが紙コップを手にしてオフィスを出てゆくと、デヴィッドはイライジャに向き直った。「仕事柄、あんたみたいなタイプをよく目にする。カモになりそうな相手を見つけると途方もない話を聞かせたうえで、さりげなくこう持ちかける。〝ところでクレジットカードの番号をちょっと教えてもらえませんか〟、〝すこしでいいから手付けをうってもらえませんか〟とね」デヴィッドは首をふると、苦笑いをうかべた。「けさはめずらしく、目覚めたときに物悲しい気分じゃなかった……あのカードを送ってよこした人物がおれの疑問にこたえてくれると思ったからだ。どうしておれだけが生き残ったのか、その謎を解き明かしてくれると思ったからだ……」

ジョセフがオフィスに引き返してくるとデヴィッドは立ち上がった。「これで失礼するよ。展覧会の成功をお祈りする」

「最後に一つだけ聞かせてくれないか、デヴィッド」イライジャは背を向けた相手に声をかけた。「さっき、〝仕事柄、あんたみたいなタイプをよく目にする〟っていったろ。いったい、どんな仕事をしているんだ?」

デヴィッドは肩ごしに振り返った。「警備員だ。いまは大学のスタジアムで働いている」

イライジャは画廊を出て行く父子をじっと見守った。二人の姿が見えなくなっても、すこしショックをうけた表情でそのまま椅子にすわり込んでいた。

第6章　迷彩服の男

寝室の明かりはすべて消されて、ベッドサイドの小さなランプだけがついていた。デヴィッドはその明かりを頼りに、新聞の切り抜きに目を通した。そのかたわらで眠り込んでいるジョセフは、左腕を父親の腰に巻きつけている。〈列車事故で一三一名が死亡。生存者は一名〉という見出しのついた記事をデヴィッドはくりかえし読んだ。

そうしているうちにふとあることを思い出した。デヴィッドは息子の左腕をそっとわきへどかすとベッドから降り立った。ジョセフはなにごとか寝言をつぶやきながら寝返りをうったが、目をさます気配はなかった。暗がりのなかを進み、物入れのドアを静かにあける。物入れのなかにはいり込んだデヴィッドは手さぐりで電球のひもをさがした。裸電球がともると、息子の睡眠のさまたげにならないようドアを閉めた。

その物入れには大人一人が立てるだけのスペースがあった。まず足元の旅行かばんを脇へどける。棚に身をよせたデヴィッドは背伸びをすると、最上段に手をのばした。その指先がぼろ布に包まれたものをさぐりあてた。そのまま鷲づかみにして下におろす。使い古しのTシャツをひろげてみると三八口径のリボルバーがでてきた。しばらく銃を見つめていたデヴィッドはそれを包みなおすと、元の場所にもどした。さらに手をのばしてやっと、さがし物が見つかった。

それは黄ばんだ新聞の切り抜きをはさみこんだ古ぼけたフォルダーだった。よれよれのフォルダーをひらくと、若々しいデヴィッドの写真がでてきた。ユニフォーム姿で、ヘルメットを小脇に抱え、いかにも得意げな顔つきだ。その頭上に〈チャンピオン〉という見出しが躍っている。つぎつぎに切り抜きをめくってみたが、どれもデヴィッド本人か彼が所属していたフットボールチームの写真入りの記事ばかりだった。

そうしたフットボール関連記事のいちばん下に、ほかのとは違って、三つ折りになった切り抜きがしまい込まれていた。破らないようそっとひらいてみる。

まず見出し——自動車事故で二人負傷——が目に飛び込んできた。デヴィッドはその横に列車事故の切り抜きをならべてみた。まるで一そろいの記事みたいだ。書体までそっくりである。

ふたたび自動車事故の見出しに目をやると、その下の写真をじっと見つめた。路肩に乗り上げて横転したセダン……かなりの衝撃だったらしく、ルーフはへしゃげて、ドアがもぎ取られている。デヴィッドは事故当時の記憶を呼び覚まそうとするかのように古ぼけた新聞の写真に目を凝らした。裸電球がふいにちらついたように思われた。ふとわれに返ると、かすかにノックの音が聞こえた。デヴィッドは新聞の切り抜きをあわててフォルダーにしまった。ついでに列車事故の記事もはさみこんだうえ、棚の最上段のいちばん奥に突っ込むと、いそいで物入れから出た。

またノックの音が聞こえた。デヴィッドは足早に部屋を横切ると、寝室のドアをあけた。妻のオードリーが薄暗い廊下に立っていた。

「やあ」デヴィッドはささやくようにいった。こんな夜ふけになにごとだろう。いぶかしく思ったが、表情にはださなかった。

オードリーはだまってうなずくと、ためらいがちに切りだした。「わたし、決心したの」

デヴィッドはどうこたえていいかわからず、あいまいに相づちをうった。

「ちょっと聞きたいことがあるんだけど、正直にこたえてくれない？　そのこたえがイエスでもノーでも、わたし、平気だから……」オードリーはささやくような声で早口にいった。

デヴィッドはだまってうなずいた。夫婦で同じようなことをやっているな。ぼんやりとそう思った。先夜はデヴィッドがオードリーの寝室を訪れて質問をあびせたのだった。

「だれかつきあっている女性《ひと》はいるの？」オードリーは思い切って問いかけた。「つまり、わたしたちの仲がうまくいかなくなってから？　どんなこたえでも、わたし、気にしないから」

デヴィッドはそんな妻の顔をだまって見つめた。藪《やぶ》から棒になんだろう。しかし、これだけひたむきに話しかけてくれるのはひさしぶりのことだ。デヴィッドは無言のまま、ノーというふうに首をふった。そのとたんオードリーは顔をくしゃくしゃにすると、声をつまらせながら泣きだした。涙がとめどなくあふれだし、掌でいくらぬぐっても追いつかない。

「ご、ごめんなさい、とりみだしたりして……」オードリーは嗚咽を嚙み殺しながらいった。「……わたしの決心はね、もう一度、ゼロからやり直したい、それだけ……あの事故の直後から考えはじめたの、あなたが無事だったのは天からの啓示じゃないかって。やり直すチャンスをあたえてもらったんじゃないかって……ずっと迷ってたんだけど、ついさっき決心がついたの、思い切って打ち明けようって」

デヴィッドはだまって妻の話に耳を傾けた。離婚は間近だと思っていたのに、妻のほうから和解の手をさしのべてきたのだ。

「こんどデートに誘ってくれない？」オードリーは涙にぬれた顔をほころばせた。「わたし、よろこんでつきあうから」

デヴィッドがうなずくと、オードリーは涙をぬぐいながら背を向けた。静かに階段をおりてゆく妻のうしろ姿をデヴィッドはだまって見送った。

＊＊＊＊＊

フットボールの公式戦がおこなわれる土曜日の午後、フランクリン大学スタジアムの入場口の一つ、二七Bゲートの前にはチケットをにぎりしめた観衆が列をつくり、開門をいまやおそしと待ちかねていた。デヴィッド・ダンはチケットの半券をもぎ取る係員のかたわらに立ち、二名の同僚とともに警備にあたっていた。

ウォリアーズ・ファンは思い思いの応援グッズを用意していた。ある若い女性のグループは手作りの横断幕をこれ見よがしにひろげていた。デヴィッドは首をかしげるようにしてその横断幕に記されたブロック体の文字を読んだ。〈わたしたちはクオーターバックと寝たのよ〉とあり、女性の一人は新生児を抱きかかえていた。その赤ん坊はウォリアーズのだぶだぶのユニフォームを着せられている。

腰にぶらさげている携帯無線機からガリガリと音がした。デヴィッドはすぐさま携帯無線機を持ち上げて応答した。「こちらダン」

「ダン、こちらジェンキンスだ」通信指令係の声がした。「一七Cゲートに偽造チケットを持った男がいる。おまえの知り合いだといっているが、名前を教えようとしない」

「どんな男だ?」デヴィッドはすかさずたずねた。

「瞳が美しいとでもこたえればいいのか……」ジェンキンスは皮肉たっぷりにいい返した。

「くだらない質問はよせって」

「こっちによこしてくれ」デヴィッドはこたえた。「そっちへ行ってるヒマはないから」

「そうしようと思ったんだが、どうも態度が気に食わない……それに妙ちきりんな格好でステッキをついて歩いてやがるんだ」ジェンキンスはうんざりした口調でいった。

デヴィッドは驚きの色をうかべた。「まさか……」

＊＊＊＊＊

スタジアムをほぼ半周して一七Cゲートに近づくと、入場を待つ長い列のかたわらに黒革のロングコートを身につけたイライジャ・プライスが立っているのが見えた。おまけに黒革の手袋をはめた手で紫色のステッキをにぎりしめている。およそフットボール観戦には似つかわしくない格好である。デヴィッドの姿に気づくとイライジャはおもむろに歩み寄ってきた。異様な風体をした画廊のオーナーは手をさしだしたが、デヴィッドは握手に応じようとしなかった。

「このチケットでは入場できないと断られた」イライジャは入場券をさしだした。

デヴィッドは手渡されたチケットを調べた。「これは先週のゲームのやつだ」

「なるほど……」イライジャはうなずいた。「駐車場で売りつけられるようなチケットはまがいものだと思ったほうがいいわけか」

デヴィッドは偽造チケットを返すと相手の顔をじろじろ見た。「スポーツ好きなんだな?」

もちろん皮肉まじりの問いかけである。イライジャはどう見ても、スポーツとは無縁のタイプだ。

「ちょっぴり興味をそそられてね」イライジャはもったいぶった口調でこたえた。

「なんの用だ?」デヴィッドは単刀直入にたずねた。

「ご心配なく、カネの無心ではない。しかし、きみのシニカルな判断力には敬意を表する。たしかに、おたがい、ことを推し進めるにあたっては細心の注意をはらったほうがいい」イライジャは意味ありげにいった。

「ことを推し進める?　いったいなんの話だ?」デヴィッドはいぶかしげに問い返した。

「すでにはじまっているんだよ、じつは」イライジャはまたしても謎めいたセリフを口にした。

デヴィッドは不審に思ってあたりを見まわした。なにをたくらんでいるんだ、この奇妙な男は？

「どうして、よりによって現在の職業を選んだのか、それを考えたことがあるかね？」イライジャは熱のこもった口調でたずねた。

「あんたはほんとうに変わり者だな」デヴィッドはあきれ顔でこたえた。

「きみは税理士になってもよかったし、スポーツジムをひらいてもよかったし、レストランのチェーン店を築きあげてもよかったんだ……それこそ無数の選択肢があったのに、結局、みんなを守る仕事を選んだ。それも自分から進んで……いやいや、じつに興味深い」イライジャはそういうと、ガラリと口調をかえた。「ところで、クレジットカードの番号を教えてくれないか」

デヴィッドが眉をひそめると、イライジャはにやりと笑った。「もちろん、いまのは冗談だがね」

デヴィッドはしかめっ面を通そうとしたが、思わず口元がほころびた。「おれがこの仕事を選んだのは単なるなりゆきだ。ちょうど所帯を持ったときだったし……知り合いの紹介があったから……それだけのことだ。特別な意味なんかない」

そのとき腰にぶらさげた携帯無線機がガリガリと音を立てた。「そろそろ持ち場に帰らないと」デヴィッドはそういうと、ステッキをついたイライジャを見据えた。「ほんとうに試合が見たいのなら、席を取ってやるけど」

＊＊＊＊＊

二七Bゲートの近くまで引き返してくると、入場を待つファンの列は三倍にふくれあがっていた。デヴィッドとイライジャはその列のかたわらを歩いて入場口へと向かった。

「キックオフの一〇分前がいちばん込みあうんだ」デヴィッドはそう説明した。

列の途中に陸軍の迷彩服をはおったひげ面の男が立っていた。そのそばを通り過ぎたとたん、デヴィッドは男のほうをチラッと振り返ったが、そのままなにくわぬ顔で歩きつづけた。しかし入場口のところまで引き返すと、警備にあたっている同僚にすぐさま声をかけた。「リッチ、身体検査をはじめろ」デヴィッドはそう指示すると、煉瓦造りの柱のかたわらに立って、列全体を見渡した。そのあとを追いかけるように歩み寄ってきたイライジャにデヴィッドはいった。

「ちょっと待ってくれ」

「なにか問題でも?」イライジャはいぶかしげにたずねた。

デヴィッドは列のほうに顔を向けたままこたえた。「あそこに迷彩服を着た男がいるだろ。あのタイプは武器を隠し持っていることが多い。おまけにアルコールを飲みすぎる。ひいきのチームが勝っているときはご機嫌だが、劣勢に立たされたりするときまって騒ぎを引き起こす……身体検査をやれば、そうした連中を事前に締め出せる……見てろ、武器を持っていればかならず列の外に出るから」

イライジャは興味深そうに身体検査を見守った。警備員たちは男性客をすべて足止めして、その身体を手早くさぐった。迷彩服の男は列のなかほどにおとなしくならんでおり、身体検査がはじまっても顔色ひとつ変えなかった。男の前にはまだ二〇人ばかり順番待ちの客がいた。

デヴィッドはその男から目を離さなかった。順番待ちの人数がどんどん減ってゆく。一八人……一五人……一〇人……。迷彩服の男は咳払いをすると、さりげなく列を離れた。そしてそのまま人ごみのなかに姿を消した。一部始終を観察していたイライジャはわが意を得たかのごとく目を輝かせはじめた。

＊＊＊＊＊

そこはコンクリートがむきだしになった薄暗い連絡通路で、観客席のほうからさしこむ陽射しがことのほかまぶしく感じられた。イライジャはその暗がりに身をひそめるようにして立っていた。スタジアムをうめつくす観衆のどよめきが絶え間なく聞こえてくる。ほどなく連絡通路の出入口にデヴィッドが姿をみせると、イライジャはそのかたわらに歩み寄った。スタジアムはほぼ満員だった。

デヴィッドはイライジャにチケットを手渡すと観客席の上方を指さした。「上のほうに黄色のシートがならんでいるだろ、あそこだ。フィールドからいちばん遠い席だが、てっぺんだから、すくなくともツバを吐きかけられる心配はない」

イライジャは席なんかどうでもよく、むしろ一刻も早くたずねたいことがあった。「どうしてあの男が武器を持っていると?」

「さあ」デヴィッドはそっけなくこたえた。「あの迷彩服のせいかもしれない。あの手合いは脅しに使えるようなハンティングナイフとかそういった凶器を持ちたがる」

「ナイフだと思ったのかね?」イライジャは問いただした。

「いや、なにかべつのものだと思う」デヴィッドは淡々とこたえた。

「ナイフではないと？」イライジャは執拗《しつよう》に問いつめた。「その根拠は？」

デヴィッドの返事は思いがけないものだった。「黒いにぎりの銀色の銃がパッと目に浮かんだんだ。ズボンに突っ込んであるその銃が、まるでテレビの映像みたいに」

イライジャはデヴィッドの顔をじっと見つめた。スタジアムの声援がいちだんと高まったが、試合には見向きもしなかった。

「よくあるのかね、そんなことが？」イライジャは熱のこもった声でたずねた。

「そんなこと？」デヴィッドはけげんな表情で問い返した。

「つまり、悪事を重ねてきたような人間はすぐそれとわかるのかね？」イライジャはさらにつっこんだ質問をぶつけた。

デヴィッドはしばらく考え込んでからこたえた。「まあね」

「その能力を伸ばそうと思ったことは？」イライジャはたたみかけて質問した。

「いったいなにをいってるんだ？」デヴィッドは戸惑いの色をうかべた。

「きみのその特殊な能力だよ」

デヴィッドはその質問にはこたえず、逃げるように背を向けた。「これで失礼する。試合中はサイドラインのそばで待機することになっているんだ……その先の階段を使えば、席まで行けるから――」

イライジャは熱に浮かされたようにしゃべりだした。「コミックのヒーローたちはたいてい特殊な能力をそなえている。透明になったり、人の心を読んだり、ぶあつい壁を透視したりする能力をね」

デヴィッドはうんざりしたようにため息をつくと、イライジャを振り返った。「いいかげんにしてくれ。これ以上、そんな話につきあう気はない」

イライジャはしぶとく食い下がった。「あれは、なみはずれて鋭い直感みたいなものを誇張して描いているんだ」

「あの男が持っていたのはなにかべつの物かもしれない」デヴィッドはいい返した。

イライジャも負けずにいい返した。「あるいは黒いにぎりのついた銀色の銃をズボンに突っ込んでいたかもしれない」

ふいに携帯無線機がガリガリと音を立て、雑音まじりの声がデヴィッドの名を呼んだ。「とにかく、これで失礼する」デヴィッドはふたたび背を向けた。

「最後にもう一つだけ」イライジャはねばった。

デヴィッドはためらいがちに振り返った。「なんだ?」

「例の自動車事故のとき……」イライジャは質問した。「だれか一緒だったのかね?」

デヴィッドはしばらく相手の顔を見つめてからこたえた。「ああ。妻のオードリーが一緒に乗っていた」

デヴィッドはふたたび背を向けると、こんどはそのまま薄暗い通路を歩きだした。「ゲームを楽しんでくれ、イライジャ」肩ごしに声をかける。「次回からは正規の販売店でチケットを購入しろよ」

イライジャはその場に立ちつくし、遠ざかってゆくデヴィッド・ダンのうしろ姿がまがり角に消えるまで見送っていた。

＊＊＊＊＊

せっかく席を見つけてもらったが、もともとフットボールに関心のないイライジャは、デヴィッドと別れるとそのままスタジアムをあとにした。そして近くの駐車場にとめておいた自分の車のところにもどった。イライジャの車は内装が特別仕様になっている。薄いフォームラバーがダッシュボードやハンドルやシフトレバーをはじめ、車内の角張った個所に残らず張りつけてあるのだ。もちろんシートベルトにも薄いクッションが縫い付けてあった。これだけ用心しても、打ちどころが悪いと骨折することになる。

運転席に腰かけたイライジャはエンジンをかけると、ラジオのスイッチを入れた。すぐに車を出す気になれず、ぼんやりと物思いにふけりながらラジオの音声に耳を傾けた。

「……一七七番列車の事故原因の究明が現在進められていますが」どうやらニュースの時間らしく男性アナウンサーが列車事故関連の続報を伝えていた。「市議会は与野党合同で、フィラデルフィアおよび周辺地域に営業基盤を置く鉄道事業者に対して、いちだんときびしい保守点検を義務付ける条例案を上程する予定……」

ふとサイドミラーに目をやったイライジャは見覚えのある迷彩服に気づいた。あわてて振り返ると、さっきの男が自分の車のすぐうしろを通り過ぎてゆくのが見えた。イライジャは大きく息を吸い込むと、すぐさまエンジンを切って車から飛び出した。

男は迷彩服の裾をひらひらさせながら五〇メートルほど先を歩いていた。イライジャはステッキの音を響かせながら猛然とそのあとを追いかけた。男はのんびりと歩いていたが、それでも足の悪いイライジャにはかなり早足に感じられた。しかし真実を知りたいという思いがイライジャの原動力になった。息を切らしながらも歩調を速め、しだいにその距離を縮めた。そして声の届くところまで近づくと、大声で呼びとめた。「ちょっと待ってくれ！」

その声が聞こえたのか迷彩服の男はチラッとうしろを振り返った。目の前の車道を横断するとすぐ地下鉄の連絡口があった。異様な風体をした黒人の男に見覚えはなかったし、もちろんあとを追いかけられるおぼえもない。男は足を止めることなくそのまま地下鉄の連絡口へと向かった。

イライジャも小走りになってそのあとを追いかけた。車道のなかほどであやうくワゴン車に跳ねられそうになったが、なんとか無事渡りきった。こんなに足を酷使するのはひさしぶりのことなので激痛が走ったが、歯をくいしばりながら追跡をつづけた。そしてようやく、男の姿がのみこまれた地下鉄の連絡口にたどり着いた。

イライジャは思わず立ちどまった。目の前に急な階段がつづいていた。男のうしろ姿がずっと下のほうに見える。イライジャは息をはずませながら手すりにつかまると、ふたたび大声で呼びとめた。「ちょっと待ってくれ！　聞きたいことがあるんだ！」

その声は思いのほか大きく響きわたったが、なんの応答もなかった。しかたなくイライジャはおそるおそる階段をおりはじめた。その直後、列車の近づく音が聞こえた。急がないと男を見失ってしまう。イライジャは階段をおりる足を速めた。ためらいが消え、しだいにその動きは大胆になった。足元に神経を集中させていたせいか、手元がややおろそかになった……。

あっと思った瞬間、手すりをつかみそこねてバランスをくずしていた。足がすべり、身体が宙に浮いた。なんとか転落をくいとめようとステップに手をついたとたん、ボキボキと胸の悪くなるような音がした。つづけてステップの角に足をぶつけた。またボキッと不気味な音がした。

結局そのまま、ガムの張りついた階段の下までころげ落ちた。激痛に耐えきれず思わず悲鳴をあげたイライジャだったが、その声はホームにはいってきた列車の轟音にかき消された。イライジャはあお向けに倒れこんだまま改札口を見つめた。苦痛のあまり視界がぼやけたが、迷彩服の男がこちらを振り返るのが見えた。男は倒れこんだイライジャに気づいても顔色ひとつ変えず、無表情のまま背を向けると自動改札口を飛び越えた。その瞬間、迷彩服の裾がまくれあがり、腰のベルトにさした拳銃がのぞいた。ほんの一瞬だったが、イライジャはその色とかたちを目に焼きつけた。

それは黒いにぎりの銀色のオートマチックだった。

第7章　ベンチプレス

フィラデルフィアの中心部からすこし北東に離れた住宅街の一角。夕日があたりを茜色の染めるなか、子供たちが元気よく走りまわっている公園前の停留所にSEPTA（南東ペンシルバニア交通局）の路線バスがとまった。降車口の扉がひらくと、デヴィッド・ダンが小さなかばんを手にして降り立った。バスが走り去ると、彼の名を呼ぶ息子の声が聞こえた。思わず振り返ると、子供たちが公園でタッチ・フットボールをやっていた。そのなかからジョセフが駆け出してきた。

「ジョセフ！」デヴィッドは大声でこたえた。「ママが怒るぞ、フットボールなんかやったら。わかってるだろ？」妻のオードリーはフットボールだけでなく、プロレスやボクシングといった暴力的なスポーツを毛嫌いしていた。

ジョセフはうなずいた。「ママにいいつける？」

デヴィッドはだまって首を振った。男の子ならフットボールくらいやりたいだろう。そもそも妻の要求に無理があるのだ。しかし風向きが変わりつつあるいま、わざわざ波風を立てるつもりはなかった。

ジョセフはうれしそうに顔を輝かせると、父親をゲームに誘った。「ねえ、一緒にやらない？　大人がもう一人ほしかったんだ」

デヴィッドは大学生らしき大柄な男が子供たちのなかにまじっていることに気づいた。スウェットの上下を身につけているが、そんなゆったりした服装でもかなりがっちりした体格であることがわかる。

ジョセフは父親の視線に気づいた。「あの人ね、ポッターのいとこなんだ。テンプル大学のコーナーバックだって」

思いがけないところで噂の主に遭遇することになった。デヴィッドは不思議なめぐりあわせに驚いたものの、表情にはださなかった。

「ドラフトの一位に指名されているんだって」ジョセフは無邪気に説明をつづけた。「なんでも四〇ヤードを四・三秒で走れるらしいよ――」

デヴィッドはむっつりした表情でこたえた。「ああ、聞いたことがある」列車のなかでその話をしてくれた女性の顔がちらっとうかんだ。

「パパならあの人に勝てるよ」ジョセフはいいつのった。「ねえ、一緒にやっつけようよ」

デヴィッドはテンプル大学のコーナーバックをじっと見つめた。筋骨たくましいドラフト候補は隆々と盛り上がった上腕の力こぶを子供たちにさわらせていた。

「父さんはもう帰る」デヴィッドはそっけなくいった。

「一ダウンでいいからさ」ジョセフは指を一本立てながら父親を口説いた。「みんなにいったんだ、パパは名選手だったって」

デヴィッドは顔をしかめた。「どうしてそんなことを?」

「ねえ、一ダウンでいいから——」ジョセフはしぶとく食い下がった。これだけ頼みこめば、いつもならいうことを聞いてくれるのだが、この日はちがった。

「だめだ」デヴィッドはにべもなかった。「父さんはやることがあるんだ」

「なにをするの?」ジョセフはすかさず問い返した。

「トレーニングだ」そのときは息子のしつこさに閉口してとっさの思いつきを口にしたのだが、イライジャからいろいろ聞かされたことが影響していたのかもしれない。デヴィッドはあとでそう思った。

「ぼく手伝うよ」ジョセフは勢い込んでいった。

「その必要はない……」しかしデヴィッドの声は息子には届かなかった。

ジョセフはくるりと振り返ると仲間に手を振った。「ぼく、抜けるから！　いまから父さんのトレーニングを手伝うんだ！」

誇らしげにそういい残したジョセフは父親のかたわらに駆け寄るとその手をにぎった。デヴィッドはやれやれといった顔で息子の手をにぎり返すと、連れ立って自宅へと向かった。

＊＊＊＊＊

自宅の地下室は物置と化しており、空き箱やら古雑誌、それに去年のクリスマスの飾りなどがところせましと積み上げてあった。デヴィッドはガラクタを整理してスペースをこしらえると、そこに古ぼけたベンチプレスの用具一式を引っぱりだした。そのむかし、体力維持のために通信販売で購入した品で、引っ越しのときも捨てずに運んできた。しかしそれからずっとほこりをかぶっており、使うのはひさしぶりである。

くたびれたベンチの端に腰かけたデヴィッドは肩ごしに息子に話しかけた。「おもりの調節はおまえにまかせるから、準備ができたら声をかけてくれ」

ジョセフは父親の手伝いができるのがうれしく、せっせと円盤状のおもりを運んでは、ホルダーにのせてあるバーベルにはめ込んでいた。いっぽうの端に六キロのおもりをつけてロックすると、こんどは反対側にも同じ重量のおもりを取り付けはじめた。

「パパならマイク・タイソンに勝てるんじゃない？」ジョセフは作業をつづけながら父親に話しかけた。「それも、相手の耳に噛みついたりする前の、よれよれじゃなかった頃のタイソンにさ」

イライジャの仮説を聞かされてからジョセフは父親をすっかりヒーローあつかいするようになった。だって、あんなひどい事故で、たった一人だけ生き残ったんだもの、ふつうの人間であるはずがない。その思いは日増しに強くなり、いまや絶対の自信があった。

「無理だ」デヴィッドの返事はそっけなかった。

「これから毎日身体を鍛えたらどう？」ジョセフは引き下がらなかった。「半年もすれば、ノックアウトできるんじゃない？」

「無理だ」デヴィッドは同じ返事をくりかえした。

「身体にいいものだけ食べて、一年間、毎日トレーニングすれば？」ジョセフの想像はふくらむいっぽうだ。

「おまえのいう身体にいい食べ物って、ブロッコリーみたいな野菜のことか？」デヴィッドは問い返した。

「うん」ジョセフは元気よく返事をした。

「無理だ」デヴィッドの返事は同じだった。

ジョセフは息をはずませながら取り付け作業を終えると、父親のかたわらに歩み寄った。デヴィッドは目の前に立った息子にうなずくと、ベンチにあお向けに横たわった。そして、両手でバーベルのシャフトをにぎりしめると、深々と息を吸い込んだ。

デヴィッドはホルダーからはずしたバーベルをいったん胸元におろすと、渾身の力をこめて持ち上げた。同じ動作をもう一度くりかえしたデヴィッドは、バーベルをホルダーにもどしてから上体を起こした。

「いったいおもりを何個取り付けたんだ?」デヴィッドはベンチの端に腰かけたままバーベルを振り返った。そして円盤状の黒いおもりの数を勘定すると、目の前の息子に向き直った。

「おい、重すぎるよ。一一二キロもあるじゃないか」

「どれくらいまで持ち上げられるの?」ジョセフは目を輝かせた。

デヴィッドはふたたび背後のバーベルを振り返った。「さっき持ち上げたのが、これまでの最高記録だ」そういうと息子に向き直った。「ジョセフ、危険だから、上に行ってなさい。あとは父さん一人でやるから」

　ジョセフはすかさずバーベルのところへ引き返した。「いま、余分なおもりをはずすから。調節はぼくにまかせるっていったでしょ」そういうとロックをねじっておもり留めのカラーをはずした。「相手がブルース・リーならどう？　勝てると思う？」

　バーベルに背を向けたデヴィッドはおもりの動く音を耳にしながらこたえた。「無理だ」

「空手を身につけたらの話だよ」ジョセフはしつこく質問をつづけた。

「無理だよ、ジョセフ」デヴィッドも根気よくこたえた。

「ブルース・リーに蹴りを禁じて、パパが猛烈に怒ったとしたら？」ジョセフは作業を終えると息をはずませながら父親のところにもどった。

「ブロッコリーをしこたま食ってか？」デヴィッドは息子に問い返した。

　ジョセフは真剣な顔でうなずいた。「うん」

　デヴィッドはふたたびあお向けに横たわった。「無理だ」

　さっきと同じようにバーベルのシャフトをにぎりしめる。そしてホルダーからはずしたバーベルをいったん胸元におろすと、渾身の力をこめて持ち上げた。同じベンチプレスをさらに二回くりかえす。デヴィッドは顔を真っ赤にしながらバーベルをホルダーにもどすと、上体を起こした。「おもりをいくつはずした？」軽くなったとは思えないので息子に問いただした。

ジョセフは正直にこたえた。「じつはウソついたの」

デヴィッドはしばらく考え込んだ。「ふやしたのか？」

ジョセフがゆっくりうなずくと、デヴィッドはバーベルに向き直り、円盤状の黒いおもりの数を勘定しなおした。しばらく声がでなかった。

「どれくらいの重さがあるの？」ジョセフがささやくような声でたずねた。

デヴィッドもささやくような声でこたえた。「一二二キロ」そして信じられない思いでバーベルを見つめた。ジョセフはそんな父親の横にちょこんと腰かけた。父子そろってバーベルを見つめる。

「もっと重くしようか」ジョセフはどうにか聞きとれるくらいの小さな声で父親に提案した。

デヴィッドはすこし考えてからこたえた。「そうだな」

ジョセフはすぐさま立ち上がるとおもりの追加作業にとりかかった。用意ができるとデヴィッドはふたたびあお向けに横たわった。そしてバーベルのシャフトをにぎりしめた。デヴィッドはふいに顔をあげると息子に注意した。

「危険だから、うしろに下がっていなさい」

ジョセフはいわれたとおり階段のすぐ下まであとずさると、そこから父親のベンチプレスを見守った。デヴィッドは大きく息を吸うと、バーベルをホルダーからはずして胸元におろし、そのまま一気に持ち上げた。さすがに二度目は腕が震えだしたが、それでもバーベルをぶじホルダーにもどした。

デヴィッドは上体を起こすと、目をまるくしている息子に向き直った。ジョセフはしばらくだまりこんでいたが、おずおずと口をひらいた。「もっと重くする?」

父親がうなずくと、ジョセフは弾かれたように作業にとりかかった。ほどなくシャフトの両端には信じられない数のおもりが取り付けられた。ジョセフは作業を終えるとすぐさま階段の下に引き返した。

デヴィッドはふたたびあお向けになってバーベルのシャフトをにぎりしめると、こんどは顔をあげないで話しかけた。「おまえは、こんな危険なまねをしちゃだめだぞ」

ジョセフはわかったというふうにうなずいたが、もちろんデヴィッドには見えなかった。デヴィッドはつづけてたずねた。「なにかあったらどうする?」

ジョセフは小さな声でこたえた。「ママを呼びにゆく」

デヴィッドはそうだとばかりにうなずくと、深呼吸をはじめた。そして最後に大きく息を吸うと、ホルダーからバーベルをうかせた。たちまち両腕が震えだして苦しそうに顔をゆがめたものの、胸元に引きつけたバーベルを力強く持ち上げた。さらにもう一度胸元におろしてから持ち上げる。ガチャンという音とともにバーベルをホルダーにもどすと、デヴィッドはゆっくりと上体を起こした。

「どれくらい追加したんだ?」デヴィッドはささやくような声でたずねた。

「あるだけ全部」ジョセフは押し殺した声でこたえた。

「するとおもりはもう残っていないのか?」さすがにデヴィッドは驚きの色をうかべた。自分にこんなパワーがあるとは思ってもいなかった。

ジョセフは夢でも見ているような表情で、そうだよというふうにうなずいた。デヴィッドは地下室を見まわした。「ほかになにを足そう?」

二人で階段下の物入れをかきまわしたところ、未使用のペンキ缶が五個も出てきた。そのうちの四個を使うことにした。ペンキ缶の半円形の取っ手を起こしてシャフトの両端に二個ずつぶらさげてから、ペンキ缶がずり落ちないようにガムテープでその取っ手を固定する。父子は夢中になって作業をつづけた。

尋常ならざるバーベルの用意ができると、ジョセフは階段のなかほどまでのぼってそこから父親のベンチプレスを見物することにした。金属製の頑丈なシャフトが折れるとは思えないが、規定の重量をかなりオーバーしているのは間違いなく、万が一床に落としたりしたら危険この上ないからだ。

デヴィッドがバーベルを持ち上げると、シャフトの両端に二個ずつぶらさげたペンキ缶がわずかに揺れた。両腕がぶるぶる震えている。しかしデヴィッドはその両腕を伸ばしきると、ふたたびバーベルを胸元までおろし、もう一度持ち上げてみせた。そして真っ赤になった顔を苦しそうにゆがめながらも、二度上下させたバーベルをぶじホルダーにもどした。さすがにガタンと大きな音がして、四個のペンキ缶が左右に大きく揺れた。

ペンキ缶の揺れがおさまるとデヴィッドはのろのろと上体を起こした。バーベルを振り返ってあらためて重量を確認する。父親がいつまでもバーベルを見つめているので、ジョセフはしびれを切らした。「パパ、全部で重さどれくらい?」

声が聞こえないのか父親が返事をしてくれないので、ジョセフは同じ質問をくりかえした。

「パパ、全部でどれくらいの重さ?」

ようやくわれに返ったデヴィッドは驚いたように息子を振り返った。「そうだな……一六〇キロくらいはあるだろう」

ジョセフはぽかんと口をあけたまま父親の顔を見つめた。つぶらな瞳に畏敬の念をうかべながら。

＊＊＊＊＊

デヴィッドは浴槽のへりに腰かけていた。シャワーをあびて、ジーンズとTシャツに着替えたところだ。デヴィッドは膝にひじをついたまま、身じろぎもせず床の白タイルを見つめた。地下室でのベンチプレスがまるで夢のように思えた。ほんの思いつきだったのに、まさかこんな結果になろうとは。このパワーをどう解釈すればいいのか。

そのとき電話が鳴りだした。デヴィッドは立ち上がってバスルームを出ると、ベッドサイドの小卓に置いてある受話器をとった。「もしもし」

「デヴィッド・ダンはいます?」女の声がした。

「オードリー?」デヴィッドは聞き返した。

「そうよ。あなた、デヴィッド?」

「ああ、おれだよ」デヴィッドはいぶかしげに問いただした。「いったいどこから電話してるんだ、オードリー？」

「わたしの名はオードリー・アンバーソン。同じ大学に通ってたんだけど、おぼえてる？」

デヴィッドはコードレスの受話器に目をやった。内線ボタンが赤く点灯している。デヴィッドは冗談めかして内線電話をかけてきた妻の心情を思いやった。オードリーはオードリーなりに関係改善の糸口をつかもうと懸命なのだ。

デヴィッドは受話器を耳にあてたままバスルームに引き返すと、また浴槽のへりに腰かけた。

「もちろんおぼえているよ」

「デートの誘いがあるまで待つつもりだったんだけど……女だからといってべつに受け身でいる必要はないわけだし……」オードリーはためらいがちにいった。「思い切って、こちらから声をかけることにしたの。どう今夜、一緒に食事しない？」

デヴィッドはいささかめんくらった。返答に困ってだまりこんでいると、耳元でささやくような声が聞こえた。「もしもし……？」

「いいね」デヴィッドはそうこたえるのが精いっぱいだった。ややあって電話は切れたが、その直前にため息が聞こえたような気がした。

デヴィッドとオードリーは息子のベビーシッターが来るのを待って、センターシティのチャイナタウンへ出かけた。菜食主義者のオードリーは中華料理を好んだ。イタリアン・マーケットでも最近はおいしいベトナム料理が味わえるのだが、帰宅の足を考えてレディング・ターミナルに近いチャイナタウンを選んだ。ターミナル駅なら、まず間違いなくタクシーが拾えるからだ。アルコールをすこしでも口にしたら、たとえほろ酔いでもハンドルはにぎらないことにしていた。大学時代にいちど自動車事故を起こして以来、二人とも車の運転には慎重になっていた。

＊＊＊＊＊

朱と金を基調にした中華レストランの店内は思いのほか落ち着いていた。入口で二人を出迎えた朱塗りのドラゴンも見慣れてしまえば、そう違和感はない。店内はバーカウンターとテーブル席にわかれていた。すこしばかりめかし込んだ二人はテーブルに席をとった。臙脂《えんじ》のシックなロングドレスを身につけたオードリーは輝くばかりに美しく、このところずっとジーンズ姿の妻しか目にしていなかったデヴィッドは思わず見とれてしまった。

二人とも長年同じ職についているので、食事中の会話はどうしても仕事がらみの話題が中心になった。しかし、こうして夫婦水入らずで話すこと自体がひどく新鮮に感じられたし、門外漢のデヴィッドにしてみれば妻が専門にしている理学療法のエピソードはいろいろと興味をそそられるものだった。

「……自分の限界に挑戦しようとする患者はどれくらいいる？」デヴィッドは食事の手を休めてたずねた。箸は苦手なので、フォークで海老ヤキソバをスパゲッティみたいにくるくる巻きとって食べていた。「不可能に思えることでも臆せず取り組むタイプは？」

箸を器用に使いこなせるオードリーは春雨サラダを一口ほおばってからこたえた。「そんなに多くないけど、いることはいるわ。たいていの患者さんは限界に直面することをおそれている……もっと正確にいうと、本当の限界を知ろうとしないで、その影におびえているの……だから、ちょっとでも壁につきあたるとすぐに立ちすくんでしまう」

デヴィッドはよくわかるというふうにうなずくと、フォークに巻きつけたヤキソバを見つめた。オードリーはそんな夫を観察しながら話をつづけた。「ところで、わたしたち、ひどく他人行儀な感じがしない？」

デヴィッドはヤキソバをほおばると、ナプキンで口元を軽くぬぐった。オードリーはすかさず指摘した。「たとえば、そのしぐさ。いま、ナプキンで口をふいたでしょ。あなたがナプキンを使うのは、知らない人と食事をするときだけよ」

デヴィッドは思わずナプキンに目をやった。「その反対のときはどうしてる、おれ?」

「シャツの袖を使うわ」オードリーはちゃめっ気たっぷりにこたえた。夫婦は顔を見合わせると笑みをうかべた。しばらくだまって食事をつづけた。

「オードリー?」どこからともなく呼びかける声がした。

デヴィッドとオードリーは声の主を振り返った。いつのまにか客の姿がまばらになり、テーブル席でふさがっているのはデヴィッドたちのところをのぞけば、もう一卓だけになっていた。そのテーブルからオードリーとほぼ同年齢の女性が立ち上がると、いそいそと歩み寄ってきた。

「やっぱりそうね」女性はデヴィッドたちのテーブルまで来ると、うれしげに笑みをうかべた。

「こんばんは」オードリーはあいさつをすると、デヴィッドにその女性を紹介した。「こちらクレア。息子さんがジョセフと同級生なの。一緒にランチ・マザーをやってるのよ」ランチ・マザーというのは生徒たちの昼食を用意するボランティアのことである。仕事をもっている母親が多いので当番のやりくりがたいへんだった。

「どうも」デヴィッドはあいまいな口調であいさつをした。

クレアはそんなデヴィッドをにこにこしながら見つめると、オードリーを振り返って口だけ動かしてみせた。「すてきな男性《ひと》ね」

そしてふたたびデヴィッドに向き直った。「オードリーからいつもお噂をうかがっています。とうとうデートにこぎつけたわけね」

オードリーは身をこわばらせたが、クレアは気づかずにほがらかな口調でデヴィッドにたずねた。「なにを専門にしてらっしゃる弁護士さん?」

返事に窮したデヴィッドは目を伏せた。しかし、いつまでもだまっているわけにもゆかず、オードリーに向き直った。「おれはなにを専門にしている弁護士なのかな?」

とんだオジャマ虫だが、オードリーは動じることなく落ち着いてこたえた。「クレア、彼はね、わたしの主人」

クレアはようやく自分の勘違いに気づいたが、いまさら弁解のしようもなく、その場に立ちつくした。三人ともだまりこみ、気まずい沈黙がつづいた。

クレアはぎこちなくオードリーを振り返ると、ささやくような声でわびた。「ほんとうにごめんなさい」

オードリーがだまってうなずくと、クレアは悄然《しょうぜん》と自分のテーブルに引き返し、待っていた仲間と一緒にそそくさとレストランをあとにした。これで店内に残っている客はデヴィッドとオードリーだけになった。二人ともうつむいたままだまりこんでいた。

オードリーは上目遣いに夫の顔を盗み見た。よほどショックだったのか、元気なくうなだれている。デヴィッドはおもむろにグラスの水をすすると、ナプキンでそっと口元をぬぐった。

＊＊＊＊＊

帰宅すると午後一時をまわっていた。明かりのともった玄関ホールで、デヴィッドはいつも息子のベビーシッターを頼んでいる黒髪の娘から報告をうけた。ほんとうは赤茶けた髪なのだがそれが嫌で黒く染めている若い女はバディ・ホリーみたいな眼鏡をかけていた。一見大学生ふうだが、じつはすぐ近所に住む作詞家志望のフリーターで、家計の足しに夜はベビーシッターをやっており、思いのほかきちょうめんな性格だった。

「ええと、息子さんはチョコレートドーナツを六個食べました。それにミルクをマグに一杯。本人は三個だけと主張していますが、わたしの目はごまかせません」黒髪のベビーシッターはこまごまと説明した。雇い主によっては詳細な報告を求めるところがあり、問いただされる前に説明したほうが心証がよくなることを心得ていた。いい印象をあたえることができればギャラのアップとかチップにつながるかもしれない。

しかしデヴィッドはそんなことには無頓着だった。それに妻のことが気になっていた。ジョセフのようすを見に行っていたオードリーは二階から降りてくると、ぬいだコートを手にしたまま自分の寝室に直行した。しかし部屋にはいるまえに、デヴィッドを振り返った。夫婦はしばらく顔を見合わせた。

「おやすみなさい」オードリーは小さな声でいった。

デヴィッドがうなずくと、オードリーは寝室にはいってドアを静かに閉めた。振り返ると、バディ・ホリー眼鏡の黒髪の娘が不思議そうな表情をうかべていた。「うちの両親もベッドを別にしています」ベビーシッターは聞かれもしないのにそんなことを口にした。

「ごくろうさん」デヴィッドは財布をとりだして所定の時間給を支払うと、ベビーシッターのために玄関扉をあけてやった。

黒髪の娘は帰りぎわに最後の報告をおこなった。「あ、それから、ジョセフは今夜、自分の部屋で寝ていますよ」

「自分の部屋で?」デヴィッドは意外に思った。

黒髪のベビーシッターは笑顔でうなずくと、ダン家をあとにした。

デヴィッドは戸締りをすませると二階の子供部屋に向かった。暗い部屋にはいってベッドサイドのランプをつけたとたん、ごそごそと寝返りをうつ音が聞こえた。振り返ると、ジョセフが眠そうな顔に笑みをうかべていた。

「きょうから自分の部屋で寝ることにしたんだ」ジョセフはつぶやくようにいった。

「らしいな」デヴィッドもささやくようにこたえた。

「ぜんぜん怖くないよ」ジョセフは誇らしげにいった。

「えらいぞ」デヴィッドは息子をほめた。

「どうしてかわかる?」ジョセフは父親に問いかけた。

デヴィッドはわからないというふうに首をふった。

「パパの秘密を知ったから」ジョセフは謎めいたことばを口にした。

デヴィッドは首をひねった。「パパの秘密?」

「パパの隠された正体だよ」ジョセフは眠たそうな声でこたえた。「あの人のいったとおりだった」

デヴィッドは息子の顔をじっと見つめた。ジョセフはうとうとしはじめていた。

「ジョセフ」デヴィッドが声をかけると、ジョセフはハッと目をさました。「スポーツジムで毎日鍛えている大人ならあれくらい持ち上げられるよ」

ジョセフはふたたびうとうとしだした。「パパならもっと持ち上げられるさ」眠たそうな声でこたえる。「心配しないで、だれにもいわないから」

ジョセフはそのまま寝入ってしまった。デヴィッド・ダンはベッドランプがともるだけの薄暗い子供部屋に立ちつくし、壁一面に貼りつけられたコミックヒーローたち——バットマンやスーパーマン、スパイダーマン、アイアンマン、ワンダーマン、キャプテン・アメリカ、ホークアイ、ソードマン、超人ハルク——のポスターをぼんやり眺めた。コミックブックのならんだ本棚に目をやると、そこにもヒーローたちのアクション・フィギュアがずらりと顔をそろえていた。

第8章　封印された記憶

地下鉄の階段から転落して複数個所を骨折したイライジャは、駅近くの救急病院で応急手当をうけたのち、主治医のいるトーマス・ジェファーソン大学付属病院に転院した。センターシティの中心部にあるこの病院はイライジャの画廊と自宅からもそう遠くなかった。

病院用ベッドに身を横たえたイライジャは、パリッと糊のきいた白いカバーに包まれた枕にぐったりともたれて、ぼんやりと宙を眺めていた。そのかたわらで主治医が骨折個所と傷の程度について説明をはじめた。

「……左手の第五中手骨の単純骨折および第六、第七、第八肋骨の複雑骨折。とりわけ重傷なのが右脚の粉砕骨折で、じつに一四個所も折れています。端的に申し上げると、粉々の状態です……」

「だからミスター・グラスと呼ばれたんだ」イライジャはふいに口をはさんだ。

だしぬけにそういわれて主治医は戸惑いの色をうかべた。「え？」こちらの説明をちゃんと聞いているのだろうか。もっとも、これだけくりかえし骨折していれば精神状態が少々不安定になるのも無理なかった。

「子供時代にね」イライジャは宙をにらみつけながらぽつんといった。

主治医は患者のようすを気づかった。「プライスさん、ご気分はどうです？　説明をつづけてもさしつかえありませんか？」

イライジャがかすかにうなずくと、主治医は説明を再開した。「骨折個所をピンでとめておきました。すくなくとも二ヶ月は車椅子の生活がつづきます。その後、一年から一年二ヶ月ほどは松葉杖が手ばなせないでしょう。あと一週間ほどで退院できますが、つづけて九ヶ月から一年ほど理学療法をうける必要があります。痛みどめとしてモルヒネの点滴および、鎮痛剤のパーコセットとダーヴォセットを処方しておきました……」

医師の説明はさらにつづいたが、イライジャはほとんど聞いていなかった。多大な犠牲をはらってつきとめた事実の意味をずっと考えていた。

＊＊＊＊＊

警備員の制服を身につけたデヴィッド・ダンは選手用ロッカールームに通じる観音開きの扉

をおしあけた。本来の職務はこの扉の外に立って不審者に目を光らせることだが、なにを思ったのかデヴィッドはロッカールームのなかに足を踏み入れた。

両側の壁ぎわにずらりとならぶ真新しいロッカー。広々としたスペースを明るく照らす天井の蛍光灯の列。同じロッカールームでも警備員用のわびしいたたずまいとは対照的である。内装だけでなく、部屋全体が若々しい活気にみちており、その一角に置かれたベンチやマッサージ台までピカピカに輝いて見える。二〇名ばかりの選手たちは思い思いの場所に陣取り、それぞれ試合前の儀式に専念していた。

筋骨たくましい大柄な選手がマッサージ台に腰かけてシャツをぬぎはじめた。その身体はあざだらけだった。大柄な選手はうつ向けに横たわると、古傷が痛むのかわずかに顔をしかめた。さっそくトレーナーがマッサージをはじめた。デヴィッドはしばらくそのようすを眺めていたが、ふと部屋の奥に目を向けた。そこに、さがしていたものが見つかった。

デヴィッドは選手やトレーナーたちのあいだを通り抜けると、いちばん奥まったところに設けられているトレーニングコーナーへと向かい、オリンピック級のベンチプレス用具の前で立ちどまった。デヴィッドはホルダーにのせられた銀色のバーベルをじっと見つめた。シャフトの両端に黒色の大きな円盤状のおもりが三個ずつ取り付けてあった。そのすぐうしろのラックには、大小さまざまなサイズのおもりがいくつもならんでいる。

デヴィッドは観音開きの扉を振り返ると、部屋のあちこちにちらばった選手やトレーナーに目をやった。ヘッドホンで音楽を聴いたり、携帯電話をかけたり、じっと宙をにらみつけたり、それぞれ思い思いの過ごしかたをしており、デヴィッド・ダンに注意をはらうものは一人もいなかった。

デヴィッドはラックから二〇キロのおもりを抜き取ると、それをシャフトの端にはめ込んだ。もういっぽうの端にも同じ重量のおもりを取り付ける。ついでにもう一枚ずつ追加する。ほとんど音を立てずにカラーをはめなおすと、セットスクリューをきちんとロックした。

ベンチに腰かけると、かすかにきしむ音が聞こえたが、振り向くものはだれもいなかった。あお向けに横たわったデヴィッドは銀色に輝くシャフトをにぎりしめた。目をとじて息を吸い込む。両腕にぐっと力を入れて持ち上げようとしたが、バーベルはびくともしなかった。顔を真っ赤にしながらさらに力を込める。目をカッと見開いたデヴィッドは顔と両腕の筋肉をぶるぶる震わせながら、銀色のシャフトをにらみつけた。いっときも息を抜くことなくそのまま力を入れつづけた。

ややあって、バーベルがホルダーから持ち上がった。そのバーベルをいったん胸元におろすとデヴィッドは大きく息を吐いた。つづけて、じわじわと持ち上げる。両腕を伸ばしきると、ふたたびバーベルを胸元におろした。両腕の震えはいつの間にかおさまっていた。デヴィッドはもう一度持ち上げたバーベルをそのままホルダーにもどした。カチャンと小さな音がした。シャフトから手をはなしたデヴィッドはゆっくりと二度深呼吸すると、バーベルの重量を計算してみた。

「二〇キロが四個に……」デヴィッドは思わず起き上がった。「……全部で二二五キロか」

視線を感じて振り返ると、選手とトレーナーの全員がデヴィッドを見つめていた。立ち上がっているものまでいる。ロッカールームは静まり返り、だれもが唖然とした表情をうかべていた。

＊＊＊＊＊

トーマス・ジェファーソン大学病院付属リハビリテーション・センターでは、通常どおり午前の業務を開始しており、オードリー・ダンはエクササイズバイクのそばに立って、懸命に固定式自転車をこぐ老人を見守っていた。そこへ同僚のジャニスがカルテを手にして歩み寄ってきた。「一〇時の患者さんがみえたわよ。けさ退院したばかりだって」

「ありがとう」オードリーはカルテを受け取ると、自転車の老人を同僚のジャニスにまかせて新患を迎えにいった。待合室で待ち受けていたのは車椅子にすわった黒人の男だった。オードリーはカルテにちらっと目をやると、笑みをうかべながら車椅子の男に近づいた。

「イライジャ・プライスさんですね?」

初対面のあいさつをすませるとオードリーはイライジャの車椅子を押して、広々とした部屋のいちばん奥へ連れて行った。最新型のエクササイズマシンの前で立ちどまったオードリーはそのマシンに腰かけると、車椅子のイライジャと向き合った。まっすぐに伸ばされたイライジャの右脚は金属製ギプスで入念に固定されていた。骨折した肋骨を固定するためにまだ副木をあてているらしくシャツが盛り上がり、中手骨を折った左手小指にも副木をあてたうえに白い包帯が巻きつけてあった。見るからに痛々しい姿だが、本人は平然としていた。不安げな患者が大多数を占めるなかで異色の存在といえた。

「これを使って悪くないほうの脚の衰えを防ぎます」オードリーはそういうと、腰かけているマシンをぽんとたたいた。「大腿四頭筋を動かしてね」

「結婚して何年?」だしぬけに口をひらいたイライジャは初対面の相手にプライベートな質問

をぶつけた。

あっけにとられたオードリーは相手の顔をまじまじと見つめたが、すこし間を置いてから正直にこたえた。「二二年」

「ご主人と一緒になったきっかけは?」イライジャは戸惑いを隠せない相手にほほ笑みかけた。「ちょっぴり緊張しているものでね。わたしは緊張すると相手を質問攻めにする癖があるんですよ」

オードリーはいろいろな患者がいるものだと思いながら笑みをうかべた。「自動車事故でしょうね」

イライジャは目をまるくした。「それはぜひとも詳しい話をお聞かせ願いたい」

オードリーはくすっと笑うと、相手の要求に快く応じた。「大学のスター選手だった夫と一緒に事故にあったから。凍りついた路面でスリップして車が横転したんです。もちろん二人ともケガをしたわ。そのケガのせいで、彼はフットボールができなくなってしまった」すこし間を置いてから話をつづける。「もし、あの事故が起きなかったら、わたしたち、結婚しなかったでしょうね」

「どうして?」イライジャはたたみかけて質問した。

オードリーは作り笑いをうかべると、ぎこちなく室内を見まわしてから、詮索好きの新患に向き直った。「そんなことより、今後のリハビリについてご相談しましょう」

イライジャはすなおに引き下がった。「わかりました。それじゃあ、そのマシンの使いかたを教えてください」

オードリーは説明を最初からやり直すことにした。「これは大腿四頭筋を動かすことによって脚の衰えを――」神妙に耳を傾けるイライジャを見つめているうちにオードリーの心境に変化が生じた。ふと気がつくと打ち明け話をはじめていた。

「理由はごく単純。フットボール選手と人生をともにすることはできなかったから。それだけの話」オードリーは自分でもびっくりするほど多弁になった。「あのスポーツそのものが嫌いなわけじゃないのよ。みんなと同じように、選手たちの人なみはずれた運動能力には敬意を表するけれど、フットボールはいろいろな面で、わたしの生きかたに反するものなの。たとえば、相手を痛めつけるほど高く評価されるでしょう。あまりにも暴力的だわ。わたしの人生に暴力は必要ない。こうした考えかたはなかなか理解してもらえないけれどね。とにかく、幸か不幸か、あの自動車事故のおかげで、フットボールは夫になる男性の選択肢から消えたわけ」

「その後、二人は幸せに暮らしました……めでたくハッピーエンドを迎えたわけですね」イライジャはからかうようにいった。

「そんなところね」オードリーはそっけなくこたえた。プライベートなことをしゃべりすぎたように思い、すこし後悔しはじめたところだった。これ以上立ち入った話はしたくなかった。

しかしイライジャはふたたび思いがけない質問をぶつけてきた。「ところで、デヴィッドはどこをケガしたのかな?」さりげない口調だが、その目つきは真剣そのものだった。

オードリーは身をこわばらせた。この男はいったい何者だろう。にわかに不安をおぼえたオードリーは強い口調で問いただした。

「だれから主人の名を聞いたの?」

＊＊＊＊＊

緑色と金色のユニフォームを身につけた一一人の選手がブルーとグレーのユニフォームを身につけた相手チームとフィールド上で熾烈な攻防戦をくりひろげていた。チケットは完売で、スタンドは満員だった。

デヴィッドは観客席と二階トイレを結ぶ通路のなかほどに立っていた。この通路はとりわけ観客の往来が激しく、トイレや売店に向かう人の波が途切れることがなかった。デヴィッドはしばらく壁ぎわに立って客の往来を眺めていたが、なにを思ったのかふいに通路のなかほどに進み出た。大半は棒のように突っ立つ警備員に接触することなく通り過ぎていったが、ときおり腕や肩をぶつける客がいた。目を伏せたデヴィッドは、なにかを聞き取ろうとしているかのように見えた。

デヴィッドはゆっくりと歩きだした。いちばんこみあう場所まで移動すると、接触する人間の数はぐんと増えた。ピンク色のツーピースを着た小太りの女がドンと突き当たってきた瞬間、鮮明なイメージがデヴィッドの心にうかんだ。

小太りの女がバスローブ姿で台所に立っていた。やにわに五歳くらいの男の子の肩をつかんで自分のほうへ引き寄せる。その男の子はたちまち火がついたように泣きだした。二人の目の前にはキッチンテーブルがあり、その上には三種類の品が置いてあった……ベルトにハンガーに延長コード。

小太りの女はぼそっといった。「どれにしようかね」

ほんの一瞬うかんだだけだが、そのイメージはテレビの画像のように生々しかった。デヴィッドはあわてて振り返った。小太りの女は五歳くらいの男の子を連れていた。うしろ姿をじっと見守っていると、女は男の子を荒々しく引き寄せた。やがて二人の姿は人ごみのなかに消えた。

＊＊＊＊＊

イライジャはだまってオードリーの顔を見つめていたが、しばらくすると憑かれたようにしゃべりだした。

「おそらくご記憶だと思うが、フィラデルフィア周辺ではここ四年ばかりのあいだに、三件の大事故があいついで起きている。わたしはこの三大事故の報道すべてに目を通した……七三七型ジェット旅客機が離陸直後に墜落した事故では、乗員・乗客一七二名は全員死亡。生存者は一人もいなかった……ダウンタウンのホテル火災では、宿泊客と当直スタッフあわせて二一一名全員が死亡。この事故も生存者はゼロ……ところが街の中心部から一二キロほど離れた場所で起きたイーストレイル社の脱線事故では、一三一名が死亡したものの、生存者が一人だけいた。しかも無傷で」イライジャはいちだんと語気を強めた。「わたしはただ一人の生存者であるご主人にお会いしたとき、ある可能性について申し上げた。それはにわかに信じがたいもので、お聞かせしてもたぶん耳を疑われるでしょう。しかし、あれから数日を経たいま、その可能性はますます高まってきたとわたしは思っています」

興味をそそられたオードリーは思わず問いかけた。「で、なんですか、その可能性って?」

イライジャはすこし間を置くと、慎重にことばを選びながらこたえた。「現代はおそろしく凡庸《ぼんよう》な時代です、ミセス・ダン。人々は希望を失いかけています。われわれ自身のなかに尋常ならざる能力が眠っていることを信じられなくなっている……これから率直に申し上げますが、固定観念にとらわれることなく心をひらいてお聞きください」

オードリーはわずかに眉をひそめた。「宗教的なお話なんですか?」新興宗教の勧誘なら願い下げだった。

イライジャはその質問にはこたえず、さらに話をつづけた。「わたしはコミックブックのミュージアムを所有しています。その名称はリミテッド・エディション」リミテッド・エディションは限定版という意味で、部数を限って販売する出版物やレコードなどを指す。イライジャは希少価値の高いコミックアートをあつかう仕事にふさわしいと思い、この業界用語を店名に採用したのだった。

オードリーはホッとしたように口元をほころばせた。「よかった。新興宗教の教祖みたいなしゃべりかたになってきたから、どうなることかと」

しかしイライジャは相手の困惑など歯牙《しが》にもかけず、目を爛々《らんらん》と輝かせると、かねてからの自説をとうとうとまくし立てた。

「コミックブックは現実にあったことや現実に存在することを誇張して描くアートだと、わたしは考えています。だとすれば、コミックに登場するヒーローも当然存在しているはずだ。あなたのご主人はその一人かもしれないのです。最初はわたしもその可能性について半信半疑でしたが……」

じっと聞いていたオードリーの顔から笑みが消えた。

＊＊＊＊＊

デヴィッドはあれからずっと人の流れのなかに身を置いていた。ほとんどの人はぶつかってもなんのイメージもわき起こらなかったが、ときおり映画さながらの鮮明な画像がうかび上がることがあった。それも決まって悪事をめぐるものだった。

観客席のほうからやってきた若い男がデヴィッドとすれ違った。紺色のスウェットシャツを着込んだ肌の浅黒い男で瞳は灰色。その男の身体がデヴィッドの腕に接触したとたん、鮮烈なイメージがうかび上がった。

そこは公衆トイレらしく、便器と洗面台がならんでいた。灰色の目をした男ともう一人の男が洗面台からすこし離れたところにならんで立っている。二人の男はすばやくなにかを交換した。掌に隠しているのでそれがなんであるかはわからない。もう一人の男は渡されたものをポケットにしまうと、そそくさとトイレをあとにした。灰色の目の男はゆっくりと洗面台に歩み寄ると蛇口をひねった。

デヴィッドはすかさず振り返ると男の行方を目で追った。灰色の目をした男は数メートル先の売店コーナーにいた。順番待ちの列にならんでいる。デヴィッドはその男をじっと観察した。しばらく迷っていたが、思い切って確かめてみることにした。灰色の目をした男に歩み寄ったデヴィッドはその肩をぽんとたたいた。

振り返った男はインド系らしく端正な目鼻立ちをしていた。その浅黒い顔に表情らしい表情はうかんでおらず、灰色の目でデヴィッドの顔を見つめると、帽子の前面に縫いこまれた〈警備〉の文字に視線を向けた。

デヴィッドは相手の顔を見据えながら、穏やかに話しかけた。「ちょっと列から離れてもらえますか?」物静かな口調だが、有無をいわせぬ響きがあった。

灰色の目をした男はかすかに眉をひそめながらも、いわれたとおりにした。デヴィッドは物静かな口調のまま事情を説明した。「スタジアム内で麻薬の売買がおこなわれているものでね、われわれも困っているんです。ポケットを調べさせてもらってもいいですか?」

灰色の目をした男は一瞬戸惑いの色をうかべ、人目を気にするかのようにあたりを見まわしたが、デヴィッドに向き直ると、しぶしぶ両腕をあげた。デヴィッドはスウェットシャツのポケットや、男が身につけているチノパンのポケットをすばやく探ったが、出てきたのはチケットの半券と小額のドル紙幣だけだった。

やはりあれは幻視にすぎないのか。考え込んでいるデヴィッドに男が声をかけた。「手をおろしてもいいですか?」

デヴィッドがうなずくと、灰色の男はゆっくりと腕をおろした。「もういいかな?」麻薬の売人あつかいされたのに腹を立てるようすもなく、いたって平静だ。それがかえってあやしいといえばあやしかった。しかし物的証拠がない以上、どうすることもできない。デヴィッドは顔をしかめながらうなずいた。

「悪党どもが見つかるといいですね」灰色の目をした男は皮肉とも受けとれることばを口にすると、一人うなずいてから売店コーナーの列にならびなおした。

デヴィッドはあきらめてその場をあとにした。通路を歩き出すと、腰にぶらさげた携帯無線機がガリガリと音を立てた。すかさず無線機を持ち上げて応答する。

「こちらダン」

すぐに通信指令係の声が返ってきた。「オフィスに緊急連絡がはいった。きみの子供がケガをした」

デヴィッドは思わず立ちどまった。「場所は?」

「学芸会の練習をやっている最中にケガをしたらしい」通信指令はてきぱきとこたえた。「至急学校まで来てくれとのことだ」

デヴィッドは携帯無線機をおろすと、なにげなく売店のほうを振り返った。灰色の目をした男が無表情な顔でじっとこちらを見ていた。デヴィッドはためらいがちに背を向けると、いちばん近くの出口へと向かった。

＊＊＊＊＊

イライジャの話は依然としてつづいていた。その声はしだいに小さくなっていったが、熱っぽい口調に変わりはなく、話の内容もいちだんと浮き世ばなれしたものになった。

「これぞ運命のめぐり合わせですよ、ミセス・ダン。わたしたちは見えない糸で強く結びつけられているんです。保険会社から送られてきた理学療法士リストのなかにあなたの名前を見つけたときに、わたしはそれを確信しました……これは単なる偶然ではない……わたしたちはこうやって話し合うよう運命づけられていたのだと。真実を知るべくね……それはもう終わりました。あとは本人が隠された力に気づき、本来の使命を果たすのを待つだけ……すべてはご主人の決断しだいなのです……」そういうとイライジャはすこしだまりこんだが、ふたたびためらいがちに口をひらいた。「……これだけは打ち明けまいと思っていたのですが、わたしの本音をお聞かせしましょうか？　この仮説が裏付けられないと、わたしはたいへん困った立場に置かれることになる……深い深い悲しみに沈みこんで二度とうかび上がれないかもしれない……ある意味で、わたしの存在そのものが問われることになるからです……」

適当に相づちはうっていたものの、オードリーはほとんどうわのそらで、べつのことを考えていた。困ったという思いがいちばん強かった。いろいろな患者に接してきたが、これほど狂信的で偏執的なタイプは見たことがない。おかげで、うわごとじみた話を聞かされるうちに所定の時間を使い果たしてしまった。きょうはともかく、次回からもこの調子だと、とてもつきあいきれない。

話したいだけ話して満足したのかイライジャは車椅子にぐったりともたれた。とりあえず次回の日取りについてイライジャから了解を取り付けると、オードリーは車椅子を押して出口へと向かった。もう一度相手の出かたを見てから、こちらの態度を決めよう。まずはカルテに記載されている病歴をチェックすることだ。

出口のところで男性の介護ヘルパーに車椅子の相手を預けると、オードリーは受付のほうへ引き返した。疲れたようすのイライジャは肩ごしにそのうしろ姿を見送った。イライジャの車椅子は介護ヘルパーの助けを借りながらゆるやかなスロープを降りると、迎えの車が待つ駐車場へと向かった。

いっぽう受付デスクに引き返して、イライジャのぶあついカルテに目を通しはじめたオードリーは、しだいに蒼ざめていった。

＊＊＊＊＊

フランクフォード小学校の保健室。出入口をくぐるとすぐ待合室になっており、その右手が医薬品やベッドの置いてあるスペース、左手が看護婦資格を持つ保健担当教師のオフィスになっていた。保健担当の女性教師は各クラスで保健の授業をおこなうかたわら、ケガをしたり熱をだしたりした生徒の介護にあたる。症状が軽い場合は保健室で安静にさせてスクールバスで帰宅させるが、手におえないと判断した場合はすぐさま救急車を呼んで病院に搬送する。

半年ほど前、食堂がわりに使用している学生ラウンジで痛ましい事故が起きた。壁に立てかけてあった折りたたみ式の大テーブルが倒れ、給食待ちの列にならんでいた一年生の児童が瀕死の重傷を負ったのだ。大テーブルの下敷きになった児童は頭蓋骨を骨折しており、すぐさま近くのフランクフォード救急病院に運ばれたが、応急手当ての甲斐もなくそのまま息をひきとった。

その日は、瀕死の児童を病院へ送り込んだあとも保健担当教師は大忙しだった。事故にショックを受けて気分が悪くなる子供たちが続出したからだ。事故の一報が各家庭に伝わると、こんどは親たちが駆けつけてきてたいへんな騒ぎになった。心配のあまりヒステリー症状を起こしたり、血圧が急上昇して卒倒する母親があいついだからだ。ふだんは静かな保健室がER（救急外来）さながらの修羅場になることもままあるのだ。

しかしデヴィッド・ダンが駆けつけてきたこの日は、ふだんどおりの静かな保健室だった。待合室の長椅子にジョセフが腰かけていた。顔のあちこちにすり傷や切り傷をこしらえている。その横に体温計をくわえた小太りの少年がすわっていた。長椅子のところからガラス扉ごしに保健担当教師のオフィスをのぞくことができる。オフィスのなかでは白髪の女性教師とデヴィッドが話をしていた。

小太りの少年は体温計を口から引き抜くとジョセフに話しかけた。「あのおじさんがきみのパパ？」

ジョセフはだまってうなずいた。クラスがちがうので小太りの少年とは口をきいたことがなかった。小太りの少年は体温計を手にしたまま自慢げにいった。「ぼくのパパのほうがずっと強そうだな」

ジョセフはキッとなって振り返ると、強い口調で否定した。「まさか」だって、ぼくの父さんはスーパーヒーローだぞ。もうすこしでそういいそうになった。

オフィスでは白髪の女性教師が事情を説明していた。「……じつは、あの子が父親を呼ぶよう強くいうものですからね。連絡先カードに記載がないものですから、あなたの所在をつきとめるのに苦労しました」

「こうした事柄は妻の担当なんです」デヴィッドは恐縮しながら釈明した。

「こうした事柄？」白髪の女性教師は問い返した。

「ジョセフ関係のことです」デヴィッドはいいなおした。それっきり女性教師はだまりこみ、こちらの顔をじろじろ見るばかりなので、デヴィッドは冗談まじりに問いかけた。「それはそうと、息子にはぷんぷんにおう軟膏でも塗ってやればいいんですか？」

白髪の女性教師は静かに首をふった。「顔のすり傷はたいしたことありません。むしろ心理的ダメージのほうが大きいようです」

わかったというふうにうなずいたデヴィッドに白髪の女性教師は思いもかけないことを告げた。「あなたを病院へ送ったときとはちがいます」

びっくりしたデヴィッドは相手の顔をまじまじと見つめた。「いったいなんの話ですか？」

「わたしのオフィスは当時、校舎の反対側にありました」白髪の女性教師はおもむろに問い返した。「わたしのことをおぼえていないようね？」

デヴィッドは正直にうなずいた。この小学校は自分の母校でもあるが、白髪の女性教師に見覚えはなかった。

「当時、わたしの髪は赤毛でした」女性教師はそう説明した。

デヴィッドはあらためて相手を見つめたが、まったく記憶になかった。

「事故が起きたとき、あなたはジョセフより年下だったと思います」白髪の女性教師は思い出話をはじめた。「あの事故をきっかけに、プールサイドでの行動規則があらためられたんですよ。おぼえてませんか？」

まるで記憶喪失におちいったかのような気がした。デヴィッドはゆっくりと首を振った。

「子供たちはいまも噂しています、一種の幽霊話のようにね……」白髪の女性教師は子供たちの口ぶりをまねてみせた。「……〝知ってるかい、プールでおぼれた子がいるんだぜ。その子は水中に五分も沈んでいて、引きあげられたときは息がなかったんだって〟……」

デヴィッドは呆然と相手の顔を見つめた。死にかけたことを忘れたなんてどうかしている。それとも恐ろしかった記憶を無意識のうちに封印してしまったのだろうか。あまりにも怖い思いをしたせいで。

白髪の女性教師は首を振った。「子供たちにはこれからもずっとそう思わせておきます……そのほうが彼らのためになりますからね」そういうと女性教師はあらためてデヴィッドに問いかけた。「まだ水がこわいですか？」

デヴィッドは記憶の迷路をさまよった。おぼれたことはどうしても思い出せなかったが、水を恐れているのは間違いなかった。その証拠に、泳いだという記憶がないし、そもそも泳ぎたいと思ったことが一度もなかった。

デヴィッドは白髪の女性教師の顔を見つめると、はっきりした口調でこたえた。

「はい」

＊＊＊＊＊

デヴィッドはジョセフをつれて校舎をあとにした。校門を出て歩道を歩きだすと、ジョセフはうつむいたまま説明をはじめた。

「悪いのはポッターたちなんだよ。楽屋で中国人の女の子をいじめていたから。その子、転校してきたばかりで、まだ友達がいないんだ。英語もろくにしゃべれないし……」ジョセフはいいつのった。「悪事は見すごせないよね？　それが正義のヒーローのつとめだよね？　そうでしょう、パパ？」

デヴィッドはどうこたえていいかわからず、だまりこんでいた。

「やめさせようとしたら、突き飛ばされてさ、そのまま押さえ込まれたんだ」ジョセフは悔しそうに声を震わせはじめた。「ぼくはパパの息子だから、パパと同じ力があるんじゃないかと、そう思ったんだけど……」ジョセフはようやく顔をあげた。その目には涙がうかんでいた。

「ぼくはパパみたいに強くなかった」

デヴィッドは思わず立ちどまると、息子の顔をじっと見つめた。「父さんだって同じだ。ころべばケガをする、ごくふつうの人間なんだ。父さんは、おまえが考えているようなヒーローなんかじゃない」

ジョセフは涙目で父親の顔を見つめながら声を震わせた。「どうしていつもそういうの？」

第9章　ジョセフの決意

デヴィッドは台所の流しに立ち、夕食で使った皿やボウルを洗っていた。料理はオードリーが作ることになっているが、あとかたづけはデヴィッドの担当である。ときにはジョセフが手伝うこともあり、父子そろって皿洗いをしながら学校の話などをする。ささやかなコミュニケーションだが、デヴィッドは貴重な時間だと思っていた。こうしたなにげないやりとりこそ大切ではないのか。子供が荒れるのは親にちゃんとかまってもらえないからだ。思い出したように高価なプレゼントや分不相応な小遣いをあたえても子供は混乱するばかりだろう。そんなことで親子の絆が深まるはずもない。

デヴィッドは水をとめると出窓のところに置いてある小型ラジオのスイッチをひねった。

「……昨夜、フルトンビルでピザ配達途中のギレルモ・ゴンザレス（四〇歳）さんが射殺されました。目撃者の証言から犯人は近所に住む一九歳の少年と判明、緊急逮捕されました。少年は遊ぶ金ほしさからゴンザレスさんを襲ったと自供。警察では現在、共犯の少年の行方を追っています。ゴンザレスさんはブラジルからの移民で、一週間前ようやく就業許可を取得、ピザ配達の仕事をはじめたばかりでした。自宅で悲報に接した奥さんと三人の子供たちは……」

ラジオのニュースは淡々とつづいたが、デヴィッドはうんざりしてスイッチを切った。毎日のようにくだらない理由で人が殺されてゆく。殺されないまでも不条理な死を迎えることだってある。そうした報道に接するたびに理不尽な思いをいだくのはなにもデヴィッドだけではあるまい。あの列車事故だって……。ぼんやりとそんなことを考えながら洗い終わった食器をふいていると、オードリーが台所にはいってきた。

「やっと寝かしつけたわ」オードリーは夫のかたわらに立つと、すぐにあとかたづけの手伝いをはじめた。「まだ動転しているみたい。一言も口をきかないの」

ショックが尾を引いているらしくジョセフは帰宅してからふさぎ込んだままで、夕食にもほとんど手をつけなかった。そこで早めにベッドに入れることにしたのだ。

「いろんな問題にぶちあたっているところだからね」デヴィッドは布巾《ふきん》で皿をふきながらこたえた。「でも、あの子なら自力で乗り越えられるはずだ。そうあってほしいとおれは願っている」

オードリーはしばらくしてから口をひらいた。「ジョセフのことをそんなふうにいうなんて、なんだか不思議な感じ。あの子、そんなに成長したかしら」

デヴィッドは横目でちらっと妻の顔を見た。それっきり二人ともだまりこみ、黙々とあとかたづけをつづけた。

ふいにデヴィッドが沈黙をやぶった。「よかったら、もういちどデートしてみないか？」

「いいわよ」オードリーはすかさずこたえた。

あっさりと快諾してくれたのでデヴィッドは思わず頬をゆるめた。うれしかったせいか口の動きがなめらかになり自然に冗談がこぼれた。「こんどまたジョセフの同級生の母親にでくわしたら、ジュアンだと紹介してくれ。弁護士のジュアンだと」

オードリーは笑顔で夫を振り返った。「きょう、イライジャ・プライスがセンターにやってきたわ」

デヴィッドは驚いて妻を振り返った。「なんだって――」そういったきり夫が顔を引きつらせながら絶句したので、オードリーはあわててこたえた。

「べつにヘンなことはされなかったわ。彼の仮説をえんえんと聞かされただけ……あんなふうに妄想を信じ込んでいる患者さんを見るのはつらいものよ……」

「ジョセフ、いったいなんのつもりだ？」デヴィッドがささやくような声でいった。オードリーはようやく異変に気づいた。デヴィッドの視線はオードリーの背後に向けられていた。あわて振り返ると、いつのまにかジョセフがテーブルのところに腰かけていた。涙をぽろぽろこぼしながら手になにか黒いものをにぎりしめている。それはデヴィッドが寝室の物入れにしまっておいた三八口径のリボルバーだった。

「ぼくのいうことをちっとも信じてくれないから」ジョセフは泣きじゃくりながらいった。「いまからウソじゃないことを証明してみせる……パパは絶対にケガをしない！」

その意味をさとったオードリーは真っ青になった。「たいへん」

「心配しなくていい、あの銃に弾ははいっていない」デヴィッドはすかさずいった。「どこに弾があるか知らないはずだ」

ジョセフは泣きじゃくりながらこたえた。「新人王カップのなかだよ」

子供の観察力を甘く見ていたことを思い知らされたデヴィッドは顔をこわばらせた。「ジョセフ、その銃に弾をこめたのか？」

ジョセフは涙で顔をぬらしながらうなずいた。「でも、パパならだいじょうぶだ……」

「イライジャは間違っている」デヴィッドはきっぱりといった。

オードリーは夫を振り返った。「イライジャに会わせたの？」

「イライジャの画廊をたずねるとき、連れていった」デヴィッドはかたときも銃から目を離さなかった。

「どうしてあの人のいうことを信用しないの」ジョセフは悔しそうにいった。

「ジョセフ、ママのいうことをよく聞いて」オードリーは必死になって話しかけた。「病気やケガで長いこと苦しむとね、ときたま、イライジャみたいに心まで病む人が出てくるものなの――」

デヴィッドは妻にチラッと目をやった。オードリーはおそらくイライジャのカルテに目を通したのだろう。骨の折れやすい病気だと本人から聞かされたが、病気やケガの記憶すらあいまいなデヴィッドにその苦しみは想像もつかなかった。

「――そうした人たちはだんだん現実ばなれした考えかたをするようになってしまう」オードリーは説得をつづけた。「パパについてあの人が考えていることは、みんなありもしないおとぎ話なのよ」

ジョセフは泣きじゃくりながら銃を持ち上げた。「そんなことない」

デヴィッドは右のほうへじわじわと身体をずらしたが、ジョセフもその動きにあわせて銃口を動かした。デヴィッドは覚悟を決めて息子に向き直った。「プールで死にそうになった子供の話を知っているだろう？　あれは父さんのことなんだ。ほんとうだぞ。あやうく死ぬところだったんだから」

ジョセフは銃をかまえたまま声を震わせた。「ウソだ」

「ウソじゃない」デヴィッドは声をはりあげた。「すっかり忘れていたんだ」

オードリーも声をそろえて反論した。「ジョセフ、パパは大学時代にケガをしたことがあるのよ——あなたもそれはよく知っているでしょう」

ジョセフの顔に戸惑いの色がうかんだ。そういえばそうだった。さきほどまでの決意が揺らぎ、わずかに迷いが生じはじめた。息子が逡巡《しゅんじゅん》の色をうかべたのを見てオードリーはすかさず命じた。「銃をおろしなさい、ジョセフ。パパが死んでもいいの」

しかし死ということばを耳にしたとたんジョセフの迷いはかえって吹っ切れた。ジョセフは涙にぬれた顔にあらためて決意の色をうかべると、いきなり立ち上がった。「一発しか撃たないから」

デヴィッドは思わず声を荒げた。「ジョセフ、いまママがいったことを聞いて——」

ジョセフがゆっくりと引き金を絞りはじめると、カチッと撃鉄の起きる音が聞こえた。「怖がらないで」

「ジョセフ、もしそのまま引き金を引いたら、父さんはうちを出てゆく！　ひとりでニューヨークへ引っ越すことにする！」デヴィッドはオードリーにチラッと目をやると、身をこわばらせている息子を見据えた。「おまえのいうとおりだ……弾が発射されても、この身体にぶつかって跳ね返り、父さんはケガひとつしないだろう……でも、そのあとで二階にあがって荷物をまとめて、ニューヨークへ出発するからな」

思いがけないことをいわれてジョセフは愕然《がくぜん》とした。「どうして？」

「おまえと父さんは友達じゃなかったのか？」デヴィッドはすかさずこたえた。「友達はおたがいに話し合うものだ。まちがっても撃ったりはしない……そうだろ、オードリー？」

応援を求められたオードリーはあわてて声をそろえた。「友達に銃を向けちゃいけないわ、ジョセフ」

ジョセフは両手をぶるぶる震わせはじめた。しかし迷いを吹っ切るかのように目をつむると、銃口をいちだんと持ち上げた。

胸元にねらいをつけられたデヴィッドはそんな息子をどなりつけた。「ジョセフ！　おまえはいま、たいへんなトラブルを引き起こそうとしているんだぞ！　父親として命じる、いますぐその銃をおろすんだ！」

びっくりしたように目を見開いた息子にデヴィッドは大声で命じた。「ワン！……ツー！

……」

ジョセフはあわてて銃をテーブルに置くとその場にへたり込んだ。デヴィッドはすかさずテーブルに歩み寄ってその銃をつかみあげると、回転弾倉を押し出してこめられていた銃弾を掌に振り落とした。それを見たオードリーは崩れ落ちるように椅子の一つにすわり込んだ。デヴィッドもゆっくり椅子を引っぱりだすと、それに腰かけた。

ジョセフは手の甲で涙をぬぐうと、つぶやくようにいった。「なにもどならなくてもいいのに……」

おそらく、ことの重大さがのみ込めていないのだろう。しかしデヴィッドはなにもいわなかった。ダン一家はキッチンテーブルを囲んですわり、三者三様の思いをいだきながら無言のときをすごした。

＊＊＊＊＊

リミテッド・エディションの正面扉をあけたのはイライジャ本人だった。骨折してからずっと休業がつづいており、この日も店を閉めていたのだが、インターホンで来客の名を聞くとすぐに錠をはずした。といっても、奥の仕事部屋から正面扉までかなり距離があるので、車椅子の身には容易なことではなかった。

店を訪れたのはデヴィッド・ダンだった。デヴィッドは無言のまま金属ギプスで固定された脚を見つめた。イライジャはその視線に気づくと、冗談めかしてこたえた。「よせばいいのに、ラグビーのチームにはいってしまってね」

にこりともしないデヴィッドにイライジャはふたたび声をかけた。「こっちへ来てくれ。見せたいものがある」相手に否応をいう暇をあたえず、さっさと展示スペースへと向かう。イライジャが車椅子をとめたのは、イーゼルに立てかけたスケッチの前だった。

それは、卑劣な不意打ちから身を守ろうとする筋骨たくましい男をコンテでたんねんに描いたものだった。筆舌につくしがたい巨悪の存在を暗示するかのように、不気味な影が画面全体をおおっている。陰影のくっきりした構図は迫力満点で、見るものを引きつける力を秘めていた。

「この絵をじっくり見てくれ」イライジャはおもむろに切りだした。「じつはきょうになって気づいた点があるんだ」

デヴィッドはいわれたとおりイーゼルに近づくと、白黒の下絵にじっと見入った。「それは監視者《セントリーマン》シリーズの一枚だ」イライジャは説明をはじめた。「この下絵に色づけしたものが第二話の表紙に採用されている」ヒーローの顔を指さしながらさらに説明をつづける。「彼の目に注意してくれ。なにが見える?」

デヴィッドはヒーローの顔に目を向けた。迫力充分のタッチであることは認めるが、しょせんコミックの下描きにすぎない。これにどんな意味があるというのか。

「恐怖の色がうかんでいるはずだ」イライジャはデヴィッドの思いを読み取ったかのように断定的にこたえた。「このヒーローは怖がっている。作者はこのヒーローを人間と同じようにあつかい、うちなる恐怖心を忠実に描いてみせたんだ。もっともすぐに、ありふれたヒーローになってしまうがね……いつも勇敢で怖いもの知らずという」

デヴィッドには途方もない深読みとしか思えなかったが、イライジャはかまわず話をつづけた。「じつは、あの迷彩服の男のあとをつけたんだ」

その意味をさとったデヴィッドは身じろぎもせずその場に立ちつくした。イライジャは自分の目でしかと確かめた事実を相手につきつけた。「あの男は黒いにぎりの銀色のオートマチックをズボンのうしろにつっ込んでいた」だまりこんでいるデヴィッドに鋭く問いただす。「大学時代の自動車事故だが、ほんとうにケガをしたのか?」

デヴィッドはふいに不安げな表情をうかべた。それを見たイライジャは堰《せき》を切ったようにしゃべりだした。「ケガをしたふりをしただけじゃないのか。フットボールをやめるチャンスだと思って——ケガならあれこれうるさく詮索されなくてすむからな。その理由は、愛する女のため……順当な選択といえるだろう。フットボール選手の寿命はせいぜい一〇年。ところが愛は永遠だ。このあいだ話したとき、毎朝物悲しい気分で目を覚ますといっていただろう？　わたしには、その理由がわかったような気がする。おそらく、やるべきことをやっていない、つまり本来の使命を果たしていないからじゃないのか……」

イライジャはふいに口をつぐむと、しばらく考え込んでからつぶやくようにいった。「かつては純然たる仮説だった……願望をこめたね。わたしと正反対の存在がいたらどうなる？　その意味は……？」そういうと、秘密を打ち明けるかのように声をひそめた。「しかし、わたしの仮説はほぼ裏付けられたといっていい。ミスター・デヴィッド・ダン、きみは本物だ。きみこそ太古から語り継がれてきた伝説の主なのだ」イライジャは壁にかかったスケッチ類を身ぶりで示した。「悪がはびこる現代に求められているのは、まさにきみのような存在なのだ」感情が昂《たか》ぶったせいか最後は声がすこしうわずった。

話を終えたイライジャは深い敬意をこめてデヴィッドの顔を見つめた。しかしデヴィッドはポケットに手をつっ込んだまま、いかにも迷惑そうにこたえた。「おそらく服装からピンときたんだ。あの手の服は銃を隠しやすいからな。それに、たいていの銃は、黒か銀色のにぎりがついている。確率は五分五分といったところだ」

しかしその程度の反論でイライジャを納得させることはできなかった。「ごまかすな、デヴィッド。あのとき、きみは自信を持っていいきったんだぞ」

抜群の記憶力と鋭い論理的思考能力を有するイライジャにあいまいな説明は通用しない。それを思い知らされたデヴィッドは単刀直入に憤懣《ふんまん》をぶつけた。「おれの人生をかきまわすのはやめてくれないか、イライジャ。きのうの夜、おれは息子に撃ち殺されそうになった。あんたのいうことを信じ込んだ息子はそれを証明しようとしたんだ」

イライジャはすかさず反論した。「きみが不死身だといったおぼえはない。わたしは一度もそんなことはいっていない」

「とにかく、あんたはトラブルメーカーだよ、イライジャ」デヴィッドは憮然《ぶぜん》とした表情でい返した。「女房のいうとおりだ。あんたの場合は、長患《ながわずら》いがたたったんだ。それで妄想のとりこになり、あらぬことを思いめぐらすようになってしまったんだろう」

イライジャはまったく動じなかった。「フィラデルフィア周辺で起きた三大事故で、かすり傷ひとつ負わずに生き残ったのはきみ一人だ」

そこでデヴィッドはとっておきの切札をぶつけることにした。「おれは病気になったことがある」

これにはさすがのイライジャも顔色を変えた。デヴィッドはそんな相手を見据えながら、先日偶然にもよみがえった記憶を早口にまくし立てた。「小学生のとき、おぼれかけて肺炎になり、一週間ばかり入院したことがある。プールサイドでふざけていた同級生の男の子がおもしろ半分におれを水中につき落としたんだ。八歳の子供にことの重大さはわからない。しかし、おれはしこたま水を飲み込んで死にかけた。スーパーヒーローならこんなぶざまな死にかたはしないはずだ。この事実は、おれがふつうの人間だという、なによりの証拠じゃないのか?」

イライジャは口をつぐんだままで反論しようとはしなかった。かなりショックを受けたようすだ。デヴィッドはそんな相手を冷たく見据えると、つぶやくようにいった。「話をするのはこれっきりにしたい。これ以上、おれやおれの家族につきまとうのはやめてくれ、いいな?」

デヴィッド・ダンは相手の返事を待たずに背を向けると、そのまま正面出入口に向かった。

イーゼルに立てかけた素描を呆然と見つめていたイライジャは、扉の上に取り付けられたベルがチリンと音を立てたことにも気づかなかった。

＊＊＊＊＊

リミテッド・エディションをあとにしたデヴィッドは物思いにふけりながら近くの通りを歩いていた。その通りはかつてロッキー・バルボアがヘビー級の王者アポロ・クリードを打ち倒すべく毎日ランニングをしていたコースの一部にあたるのだが、そんなことは知るよしもなかった。反対方向から上等のダークスーツを着込んだ五十がらみの紳士が歩いてきた。それほどせまい歩道ではなかったが、傍若無人に走りまわるスケートボードの若者をよけようとして、紳士は足元をふらつかせた。ちょうどデヴィッドとすれ違うところだったので、肩と肩がぶつかった。紳士は「失礼」といってそのまま通り過ぎていったが、デヴィッドは思わずその場に立ちつくした。鮮明なイメージが眼前にうかび上がったからだ。

だぶだぶのセーターをだらしなく着込んだ紳士が薄暗い通りに立っていた。かなり酔っているらしい。紳士はズボンのジッパーをおろすと、道端にとめてある車めがけて放尿をはじめた。運転席の扉やウインドウに湯気をあげる液体が降りそそぐ……。

たちまちわれに返ったデヴィッドは遠ざかってゆく紳士を振り返った。いかにも上品そうなタイプに見える。デヴィッドはぶるっと身を震わせると、逃げるようにその場を離れた。

第10章　深夜のメッセージ

椅子に腰かけたジョセフは机の上に置いたスーパーマンのアクション・フィギュアをものうげに眺めていた。顔色は青白く、ひどく元気がない。デヴィッドはバットマンのポスターの前に立って、そんな息子のようすを観察した。いつものラフな服装と違い、今夜は折り目のついたドレス・パンツに白いワイシャツというよそゆきの格好だった。気遣わしげに息子を見つめていると、あけっぱなしになった戸口からオードリーがはいってきた。オードリーもめかしこんでおり、茶色の美しいドレスを身につけていた。

「ベビーシッターが来たわよ」オードリーは夫に声をかけた。夫婦はそろって机のところに腰かけている息子に目を向けた。

「今夜の外出はとりやめる?」オードリーはふたたび夫に声をかけた。

「ぼくならだいじょうぶだよ」ジョセフはフィギュアから目を離そうとしなかった。すっかりふさぎ込んでおり、そのことばを額面どおり受けとることはできなかった。

「日をあらためてもべつに支障ないでしょ」オードリーはだまりこんでいる夫にいった。

「ウソだ」ジョセフは前を向いたまま、つぶやくようにいった。その場の雰囲気が一瞬凍りついたようになった。ジョセフはようやく両親を振り返った。「ぼくならだいじょうぶ。頭のなかがちょっぴりこんがらがっているだけだから」

デヴィッドは息子の顔をじっと見つめると、おもむろにオードリーを振り返った。「軽く一杯やろうか？」

＊＊＊＊＊

さまざまな商店が雑然と立ちならぶ高架線下の一角に、比較的安価なコミックブックをあつかう店があった。新刊やそのバックナンバーはもちろん古本もあつかっているので、間口のせまい店内はコミックブックであふれかえっていた。細長い店内の両側の壁にはスチール製の本棚がずらりとならび、それにびっしりとコミックブックがつめ込んであった。本来通路となるべき真ん中のスペースにもガラスの陳列ケースがならび、そこには稀少本や高価なアクション・フィギュアが飾ってあった。もちろんガラスケースは施錠してあるので、みだりにいじりまわすことはできない。

レジカウンターではこの店の経営者がその日の売り上げを計算していた。でっぷり太った経営者は三〇代半ばの白人で、名前はジム・ウエイツという。長髪を頭のうしろで束ねてポニーテールにしているのだが、およそ似つかわしくなかった。身につけているバットマンのTシャツも、肉づきがよすぎるせいか、胸元のバットマークが満月のように見える。

ジムは札を数える手を休めると、腕時計にチラッと目をやってから、うなぎの寝床のような店の奥に視線を向けた。ガラスの陳列ケースの上から人の横顔がのぞいている。アルバイトの店番と交代した二時間前にはすでにあそこにいた。長尻の客はめずらしくないし、立ち読みも大目に見ていたが、ものには限度というものがある。

「ちょっと、そこのお客さん。もう閉店時間を二〇分もオーバーしてるんだ」ジムは横顔だけのぞく黒人客に声をかけた。「買う気があるんならぼちぼち決めてくれないか」

しかし聞こえないのか聞いていないのか、あらぬほうを向いた顔はぴくりとも動かなかった。業を煮やしたジムはからかうようにいった。「おい、頼むぜ、日本製のコミックを読みながらマスなんかかくなよ、そんなとこで」

それでも反応はなかった。うんともすんともいわなければ、こちらを振り向こうともしない。

ジムはレジの引き出しを閉めると店の奥に向かった。せまくるしい通路を進むと、ガラスの陳列ケースの陰になって見えなかった車椅子が目に飛び込んできた。どなりつけてやろうと思っていたジムだったが、さすがに思いとどまった。できるだけ穏やかに話しかける。「さっきは失礼……こんなふうだとは思わなかったものでね……とにかく決めてくれないか？」

車椅子の黒人客はイライジャ・プライスだった。イライジャは中空の一点を見つめたまま一言も口をきかなかった。ジムはうんざりした顔でかがみ込むと、イライジャの目の前で掌をひらひらさせた。「もしもし。英語がわからないのか？」それでも反応がないので最後通告をつきつけることにした。「いいか、これからあんたを店の外に出す。考え事なら外でやってくれ。おれは早くバンメシが食いたいんだ。わかったかい？」

さらに五秒待ったが反応はなく、それが限界だった。ジムは首を振ると車椅子の背後にまわりこんだ。そしてにぎりの部分をつかむと、慎重に押しはじめた。車椅子はせまくるしい通路をゆっくり進んだ。

なにを思ったのかイライジャはふいに右側のハンドリム（手押し用の外輪）をグイッとつかんだ。そのとたん車椅子は右に向きを変え、金属ギプスで固定された右脚が本棚にぶつかった。コミックブックが数冊バラバラと床に落ちた。

「くそっ」店主のジムは悪態をつきながら車椅子の向きをなおすと、ふたたび通路を進みだした。ところが二メートルも行かないうちに、イライジャは反対側のハンドリムをつかんだ。左に向きを変えた車椅子はガラスの陳列ケースにぶつかり、ケースの上にのせてあった安物のフィギュアが数個、床にころげ落ちた。

ジムは怒りをあらわにした。「おい、車椅子だからっていい気になるなよ。もう一度やったら、おまわりを呼ぶからな」相変わらず返事はないが、これだけきつくいえば二度とふざけたまねはしないだろう。ジムは気をとりなおすと、車椅子の向きをなおした。

車椅子はふたたび通路を進んだ。こんどはなにごともなく出口までたどり着けるかに思われた。しかし、イライジャはまたしても右側のハンドリムをつかんだ。固定した右脚が本棚につっ込み、その衝撃で棚の上のほうにならべてあったコミックブックがイライジャの頭上に降りそそいだ。

「ふざけやがって！　待ってろ、このままブタ箱にぶち込んでやるから」怒りを爆発させたジムは電話の置いてあるレジカウンターのところへ引き返した。イライジャはわずかに身を起こした。棚から落ちてきたコミックブックはその大半が車椅子のまわりに散らばっていたが、一冊だけ膝の上に残っていた。その表紙を見たとたん、イライジャは爛々と目を輝かせはじめた。

店主のジムはダイヤルをし終わると受話器を耳にあてたまま車椅子の客を振り返った。すると驚くべきことに、ついさっきまでこちらの問いかけをことごとく無視した胸クソ悪い客がコミックブックを一冊高々と掲げているではないか。

イライジャは監視者《セントリーマン》が描かれている表紙を店主のほうに向けると、力のこもった声でたずねた。「これはいくらだ?」

＊＊＊＊＊

瀟洒《しょうしゃ》な建物には事欠かないフィラデルフィアでもひときわ目を引くタウンハウスが立ちならぶリッテンハウス・パーク周辺には落ち着いた雰囲気のカフェやレストランがいくつか店をかまえており、すこしばかり値は張るものの、デートスポットとしては申し分なかった。

デヴィッドとオードリーは若者好みのトレンディなレストランを選んだ。照明に工夫を凝らした店内は相手の顔がやっと判別できるほどの明るさしかなく、メニューを読むのも一苦労だが、バーカウンターの端にならんで腰かけた二人にはかえって好都合だった。ここならオジャマ虫に水をさされる心配はあるまい。二人はそれぞれの飲み物をすすりながら、なにやら考え込んでいた。

デヴィッドはギムレットを一口するとようやく顔をあげた。「……ラストかな」

「さび色《ラスト》?」オードリーは聞き返した。

「ラストといっても、赤さびそのものの色じゃなくて、赤みがかったの淡い色合いのことだよ」

デヴィッドは具体的に説明した。「ほら、ペンキとか樹木の色にあるだろ?」

オードリーはドライマティーニで舌を湿らせると、夫のほうに顔を近づけた。「それは知らなかったわ。わたしのお気に入りは茶色」

「こんどはおれがたずねる番だな」デヴィッド笑みをうかべた。「好きな曲は?」

オードリーは迷うことなくこたえた。「プリンスの〈ソフト・アンド・ウェット〉」

「なんだって?」デヴィッドはありありと驚きの色をうかべた。

「質問には正直にこたえる約束でしょ」オードリーは涼しい顔でこたえた。

デヴィッドは自分のスツールを妻のほうに近づけた。「〈ソフト・アンド・ウェット〉とはね。こいつはまいった」

「こんどはわたしの番ね」オードリーはおもむろに切りだした。「はじめて実感したのはいつ頃……わたしたちのあいだに溝ができたと?」

デヴィッドの顔から笑みが消えた。「それってルール違反じゃないのか」

オードリーもスツールを近づけた。二人はほとんど身を寄せ合うような格好になった。「二度目のデートにルールなんかないわよ」

理解しがたい主張だが、デヴィッドはギムレットをまた一口すするとすなおにこたえた。

「よくおぼえていない」

オードリーは納得しなかった。「もっと真剣に考えて」

「ゲームはどうなったんだ?」デヴィッドは問い返した。

「あれはもう終わり」オードリーはあっさりと宣言した。「わたしの勝ち」

またしても理解しがたい主張だが、女の論理に異を唱えてもしかたがない。受け入れるか拒否するか、男はそのどちらかを選ぶしかないのだ。デヴィッドは妻の顔を見つめた。いくら照明が暗くても、三〇センチくらいの距離なら表情を見誤ることはない。オードリーはデヴィッドの返事をじっと待っていた。

「べつに日時を特定する必要はないのよ」オードリーは夫をうながすようにいった。「だいたいいつ頃だったかわかれば――」

「ある晩、悪夢にうなされたのに、きみを起こそうとしなかったことがあった」デヴィッドはだしぬけにしゃべりだした。「きみになぐさめてもらいたかったのに、それをためらった。あの夜が最初だったような気がする」デヴィッドは妻の目をのぞき込んだ。「これでこたえになるかな?」

「ええ」オードリーはささやくようにいった。そしてグラスを口元まで持っていったが、一口も飲まずにそのままカウンターにもどした。うすうす感じていた疑問をぶつけるにはいい機会かもしれない。そう思ったオードリーは率直にたずねた。「もしかしたらジョセフとわたしを意識的に遠ざけているの?」

デヴィッドはしばらく考え込んでから、正直にこたえた。「ああ」

その返事を耳にしたとたんオードリーは顔をゆがめた。あやうくとりみだしそうになり、マティーニを一口あおった。「どうして?」強い酒精は鎮静効果があるらしく、オードリーはすこし落ち着きをとりもどした。

「オードリー、理由はおれにもわからない」デヴィッドはどこまでも正直だった。「ずっと違和感があるんだ、自分の生きかたに。こんなはずじゃないって思いがどうしてもぬぐえないんだ」

「デヴィッド、わたしたちに腹を立てているの? いまの生活に我慢ならないわけ?」オードリーは熱のこもった口調で問いただした。「大学卒業後、あなたはどんな道に進んでもよかったのよ。だけど自分の意思でいまの暮らしを選んだ」

どうこたえてよいかわからずデヴィッドはだまりこんだ。ことさらオードリーに腹を立てたこともなければ、家庭生活に不満をいだいたこともない。むしろ家族はデヴィッドにとってかけがえのない宝物だった。問題は家族ではなく、自分という存在のありようそのものにあるのだが、それをうまくいいあらわすことができず口ごもっていた。

「一緒になりたいからといって、わたしがあなたのケガを望んだりしたと思う？　あなたの身体能力は持って生まれてきたものよ。それをじゃまものあつかいしたことは一度だってないわ」オードリーは目に涙をうかべながらいいつのった。「それだけはわかってね」

デヴィッドはギムレットを一口すすった。グラスを持つ手が震えているのがわかった。デヴィッドはだまってオードリーの目を見つめた。妻が胸のうちをこれほど赤裸々に告白してくれたことはかつてなく、デヴィッドは激しく心を揺すぶられた。しかし内心の思いとは裏腹に、その返事はそっけないものだった。

「わかった」

夫婦はそれっきりだまりこみ、薄暗いバーカウンターの片隅で身を寄せ合うようにして時を過ごした。

＊＊＊＊＊

軽く飲んで早めに引きあげるつもりだったが、思いがけず踏み込んだ話し合いになったためその余熱をさますのに時間を要した。しかし二度目のデートはかなりの収穫があった。夫婦そろってそんな実感を嚙みしめながら帰宅するとすでに夜もふけていた。

デヴィッドとオードリーが玄関ホールの明かりをつけると、髪を黒く染めた作詞家志望のベビーシッターが待ちかねたように二階から降りてきた。バディ・ホリー眼鏡をかけた娘は帰り支度をしながら報告をはじめた。

「ジョセフが寝てから電話が二本ありました。一本目は、わたしが電話をかけている最中にかかってきました——あの誤解がないように申し上げておきますけど、そんなに長電話はしてませんから。妹から緊急連絡があって、パーマのかけかたがわからないというものですから、その説明を——」

「電話はだれから？」デヴィッドはしびれを切らして口をはさんだ。オードリーはその横で思わず笑みをうかべた。しかしベビーシッターの返事を耳にすると、その笑みはたちまち消えうせた。

「ニューヨークからです」ベビーシッターはやや不満そうにこたえた。「ホテルの警備主任に採用するという話でした。ニューヨークに引っ越すなんてちっとも知りませんでした」稼ぎ口の減少はしがないフリーターにとって死活問題を意味した。

オードリーはすかさず口をはさんだ。「まだ引っ越すと決まったわけじゃないのよ」

「へえ」ベビーシッターはすこし気をとりなおすと報告をつづけた。「もう一本は留守電に入れておきました」

ふいにだまりこんでしまった夫婦をベビーシッターの娘はバディ・ホリー眼鏡を押しあげながら見つめた。うちの両親も夫婦円満にはほど遠いが、ここもいろいろとむずかしそうだ。どうして結婚なんかするのかしら。こんどはそれをモチーフに歌詞を書いてみよう。

デヴィッドは財布を取りだすと所定の時間給を支払った。現金を受けとった娘はあいさつもそこそこに玄関扉をあけた。いつのまにか雨が降りだしていた。「もういや」小声で悪態をついたベビーシッターは頭からすっぽり上着をかぶると、雨のなかに飛び出していった。デヴィッドはそのうしろ姿を見送ると静かに扉をしめた。

玄関扉をロックして振り返った夫にオードリーは話しかけた。「これからも率直に話し合いましょう。やっと再出発の一歩を踏み出したところだもの。一回や二回のデートでいままでのしこりが消えるとは思ってないわ……たとえあなたがニューヨークへ行っても、あせらずに努力をつづけていれば、最終的にはうまくいくはずよ……二度目のチャンスなんだから、だいじにしないとね……なにはともあれ、おめでとう」

オードリーはそれだけいうと、ぬいだコートを手にして自分の寝室に消えた。その場に取り残されたデヴィッドは寝室のドアが静かに閉まるのを見つめた。ため息をつきながらそのまま階段をあがろうとしたデヴィッドは、ふと留守番電話のことを思い出すと、廊下の奥に目をやった。電話機の赤ランプが点滅している。

デヴィッドはゆっくりと電話機に歩み寄ると、赤く点滅しているボタンを押した。「新しい録音が一件あります」という人工音声につづいて、録音された伝言の再生がはじまった。

「……デヴィッド、イライジャだ。謎が解けたぞ」

デヴィッドは苛立たしげに首を振ると、台所にはいって明かりをつけた。冷蔵庫からミネラルウォーターを取り出してコップについでいるあいだも、イライジャのメッセージはつづいた。

「むかしからくりかえし指摘されてきたことなのに、どうして見落としていたのかわれながら不思議だが、たまたま手に入れたセンチュリー・コミック一一七号がそれをあらためて教えてくれた。この物語で暗躍する悪の集団はあの手この手を使ってスーパーヒーローの弱点をつきとめようとする……当然のことながら弱点はだれにでもある。もちろんきみにもな……」

水を飲みかけていたデヴィッドは思わずコップを下におろすと電話機を振り返った。

「……きみの骨と筋肉をかたちづくっている細胞は外部からの衝撃に対してわたしの細胞とは違った反応を示す。きみの骨は折れないが、わたしの骨は折れる。これは明白な事実だ……きみの細胞はバクテリアやウイルスに対してわたしの細胞とは違った反応を示す。きみは病気にならないが、わたしは病気になる。これも明白な事実だ……」

デヴィッドはいつのまにか電話機のところに引き返して、じっと耳を傾けていた。イライジャの口ぶりにはいままでにない説得力があった。

「……ところがどういうわけか、きみもわたしも水に対しては同じ反応を示す。水中につき落とされると、たちまち大量の水を飲み込み窒息する。肺に水がはいって溺死するわけだ。非現実的に聞こえるかもしれないが、わたしたちはつながっている。きみとわたしは同じ曲線の両端に位置する存在なのだ……これだけ説明すればわかっただろう……きみは決して無敵ではない……きみの唯一にして最大の弱点は、水だ。水こそ、きみにとってのクリプトナイトなのだ」クリプトナイトはスーパーマンの超能力を封じ、最悪の場合は死にいたらしめる特殊な宇宙物質である。

「デヴィッド、聞いているか？　あと一時間もするとラグビーの夜間練習がはじまる……すぐに電話をくれないか……」受話器を置く音につづいて人工音声が録音時刻を告げると、メッセージの再生が終わった。

デヴィッドはそのあともしばらく電話機を見つめていたが、おもむろに指をのばすと消去ボタンを押した。「メッセージを消去しました」静まり返っているせいか機械の音声がいやに大きく聞こえた。

第11章　フィラデルフィア駅

デヴィッド・ダンはバスルームの浴槽のへりに腰かけた。シャツのボタンをはずし、前をはだけたままの格好で、ぼんやりと白タイル張りの床を眺めた。そのままとりとめのない物思いにふけりながら、ぐずぐずと時を過ごした。イライジャの留守番メッセージがいつまでも耳に残っていた。妄想野郎のたわごとだと一蹴すればそれでケリがつくはずなのに、なぜか気になった。あやうく溺死しかけた小学生時代の記憶を封印していたように、ほかにも無意識のうちに目をそむけてきた出来事があるかもしれない。隠された真実があるとすれば、それを直視しないかぎり、自分のいまのありように対する違和感はぬぐえないのではないか。そんな気がしたが、具体的にどういう行動をおこせばいいのかわからなかった。さいわいオードリーとの仲は好転しはじめている。それをぶちこわすようなまねだけはしたくなった。

思いあぐねたデヴィッドはふと顔をあげた。バスルームには戸口をはさんで両側に洗面台が据え付けられていた。戸口をはいって左側がオードリー用で、右側がデヴィッド用になっている。なにげなくオードリー用の洗面台に目をやると、下のほうに小さな紙箱がころがっているのが見えた。浴槽から腰をあげて洗面台に歩み寄ったデヴィッドは、しゃがみ込んでその紙箱をひろいあげた。それはバンドエイドの箱だった。

寝室を別にするさい、オードリーは自分の歯ブラシや歯磨き粉、それにローションやクレンジングオイルなどを一階に運びおろした。そのとき忘れたのかローションの瓶が一本だけ、ぽつんと洗面台に残っていた。あるいは気に入らない銘柄なのでそのまま置きっぱなしにしてあるのかもしれない。デヴィッドは立ち上がると、鏡の横の化粧棚をひきあけた。

バンドエイドの収納場所をさがして棚を見まわすと、いろいろな薬品が目にとまった。鎮痛解熱剤のタイレノール……頭痛薬のアスピリンにバファリン……胃腸薬……便秘薬……アレルギー用目薬……風邪薬……咳止めシロップ……うがい薬……筋肉痛の軟膏……。

デヴィッドはそうした薬品類をしばらく眺めていたが、ふとわれに返ると、戸口をはさんだ反対側の洗面台に歩み寄った。いつも顔を洗っている洗面台だが、化粧棚をあけたことはあまりなかった。そっとひきあけると、棚のなかはがらんとしており、三種類の品――使い捨てカミソリの徳用パック、シェービングクリーム、アフターシェーブローション――しか見あたらなかった。

デヴィッドは唖然として立ちつくした。

＊＊＊＊＊

灰色のスウェットシャツとジーンズに着替えたデヴィッドは、足音を忍ばせながら階段をおりると、コート掛けにそっと歩み寄った。吊るしておいたダークグリーンのポンチョを身につける。デヴィッドはどういうわけかこの色合いのポンチョを好み、仕事場だけでなく自宅でも愛用していた。

外は土砂降りの雨だった。デヴィッドは近くの路上に駐めておいた自家用ワゴンに乗り込むと、すぐさま車をスタートさせた。行先はサウスフィラデルフィアの倉庫。なぜかむしょうに列車の残骸を見てみたくなったのだ。どうして自分だけが生き残ったのか。イライジャのいうとおりなのかどうか。残骸の中にそのヒントが眠っているかもしれない。そう思うと居てもたってもいられなくなり、あとさきのことを考えずにうちを飛び出した。

夜ふけなのでさすがに交通量はすくなく、たまに対向車とすれ違うくらいだ。デヴィッドはフランクフォード・クリーク沿いの道を進むと、リッチモンド・ランプからインターステート九五号線にのった。あとはこの高速道路を一気に南下するだけだ。しばらくするとデラウェア河畔の明かりがぼんやりと見えてきた。川そのものは闇に沈んで見えないが、沿岸にたちならぶ大規模な港湾施設の明かりだけは雨の夜でもそれと確認できる。

ペンズ・ランディングにさしかかると、埠頭に係留された大型クルーザーがライトに浮かびあがって見えた。ここはペンシルバニア植民地の創設者ウィリアム・ペンが上陸したとされる場所で、いまは公園として整備され、フラワーフェスティバルや野外コンサートが催されるときなどは、州外からも数多くの観光客が訪れる。フィラデルフィアはデラウェア川沿いに発展した港湾都市だが、そのむかし独立宣言が採択され、初の国会が開かれた由緒ある都市でもあり、街のいたるところに歴史的建造物を見ることができた。

九五号線からオレゴン・アベニューにおりたデヴィッドはフィラデルフィア海軍基地をめざした。修理用ドックをそなえたこの海軍基地はデラウェア川とスクーキル川の合流地点に位置していた。かつては東海岸の拠点基地の一つだったが、冷戦終結後、国防費削減のあおりをうけて閉鎖され、いま広大な敷地は再開発用地に指定されている。イーストレイル社の倉庫はその近くにあった。このあたりは昼間でも人影まばらな一帯で、夜ふけともなれば通行人はおろか車もめったに見かけない。

やがてワゴン車のヘッドライトが雨にぬれた金網フェンスを照らしだした。あちらこちらに大小さまざまな破れ目のできた金網フェンスには〈イーストレイル社所有地〉と記された金属製プレートがさかさまにぶら下がっていた。どうやら、めったに人の出入りがない場所らしい。デヴィッドはフェンスのすこし手前で車をとめると、エンジンを切って外に出た。すかさずポンチョのフードをかぶり、赤錆の目立つ金網フェンスに歩み寄る。

勢いよく降りつづく雨のなかで闇に目を凝らすと、フェンスの向こう側にぼんやりと倉庫の建物が見えた。デヴィッドはあたりを見まわすと、やにわにフェンスによじのぼった。はからずも不法侵入者の体重を支えることになったフェンスがガチャガチャと耳ざわりな音を立てたが、それを聞きとがめるものはだれもいなかった。

雑草のおいしげる敷地をしばらく歩くと巨大な倉庫にたどり着いた。さらに倉庫の壁に沿って進んだデヴィッドは通用口とおぼしき扉を見つけた。押してもあかないので、力まかせに蹴りつける。ガチャーンという大きな音とともに錆びついた鉄扉が内側にひらいた。

デヴィッドは洞窟のような倉庫に踏み込んだ。壁の上方にならぶガラス窓からほのかに外光がさしこみ、おぼろげながら内部を見渡すことができる。まず目についたのは、クレーンやフォークリフトといった作業用重機だった。そのかたわらを通り過ぎると、広々とした倉庫のほぼ中央に銀色に光る車体の残骸が置かれていた。

ここはかつて整備工場だったのだろう。荒れ果てたコンクリート床に軌道の跡が残っている。長らく使われていなかったらしく、傷んだ屋根からぽつりぽつりと雨だれが落ちてきた。デヴィッドは無残な車体の前に立った。

まっぷたつに引き裂かれた車体はほとんど原形をとどめていなかった。強化ガラスが粉々に吹き飛んで、ぽっかりあいた穴のような窓ごしに、ゆがんだり押しつぶされたりした座席を見ることができた。堅牢なはずの車軸まで異様なかたちにねじまがっており、衝突のすさまじさを物語っていた。これだけ大破した客車に乗り合わせていて助かるほうが不思議である。

高さ一五メートルほどの天井から落ちてくる雨だれがデヴィッドのフードにあたり、そのたびにポタッポタッという音が耳元に響いた。引きちぎられた金属片やゆがんだ車輪をぼんやりと眺めているうちに、またもや封印された記憶がよみがえってきた……。

＊＊＊＊＊

ようやく意識をとりもどした二〇歳のデヴィッド・ダンは身を起こしてあたりを見まわした。凍てついた路面が薄明かりに照らされてキラキラ光っている。フロントガラスの破片があたり一面に散乱していた。よろよろと立ち上がったデヴィッドは自分の身体を見まわした。スタジアムジャンパーもジーンズもずたずたに裂けている。にわかに冷気を感じて思わず身を震わせたが、どこにも痛みを感じなかった。

ふいにパチパチと炎のはじけるような音が聞こえた。振り返ると、一〇メートルほど先でホンダのセダンが横転していた。おそらくスリップして路肩の斜面に乗り上げ、そのままひっくり返ったのだろう。そのとき電信柱をなぎ倒したらしく、電線のからみついた木の柱が車体の横にころがっていた。炎は逆さまになった車のボンネットから噴きあがっていた。なかばへしゃげたドアの窓ごしに女の手が見える。

デヴィッドはあわてて車に駆け寄ろうとして、凍りついた路面で二度足をすべらせた。ひっくり返った車体のかたわらにひざまずき、へしゃげた窓からなかをのぞき込む。二〇歳のオードリーが逆さまになったまま意識を失っていた。

「オードリー……」デヴィッドは声をかけたが、返事はなかった。

シートベルトで運転席に固定されたオードリーの身体がときおりぴくぴくっと痙攣した。デヴィッドはドアハンドルを引っぱったが、ドアが変形してしまったらしくビクともしなかった。そうしているあいだにも炎はますます勢いを増した。はやく助け出さないと、ガソリンに引火したら大変なことになる。

デヴィッドは窓枠に手をかけると渾身の力をこめて引っぱった。ふいにメリメリと音を立ててドアがひらいた。というより車体から引きちぎられた。尋常ならざる力業だった。デヴィッドは変形したドアをほうり出すと、車内に身を乗り入れてオードリーのシートベルトをはずした。そして逆さまになった運転席からオードリーを引きずりだした。上半身に目立った外傷はなかったが、左足が血まみれだった。

デヴィッドはオードリーの身体を抱えあげると、炎上する車からできるだけ離れた。安全だと思われる場所まで来ると、道路ぎわの草地に恋人の身体をそっと横たえた。

「オードリー？」デヴィッドはふたたび声をかけたが、オードリーは依然として返事をしなかった。その顔がヘッドライトの明かりに浮かびあがった。すかさず振り返ると、こちらへ近づくヘッドライトが見えた。デヴィッドは大きく手を振った。近づいてきたのは大型トラックだった。トラックの運転手はデヴィッドの姿に気づいたらしくすぐさまスピードを落とした。

デヴィッドは負傷した恋人に向き直った。オードリーはいつの間にか目をあけていた。安堵のあまりデヴィッドの目から大粒の涙がこぼれた。よかった。ほんとうによかった。デヴィッドは嬉し涙をこぼしながら、目元にかかったオードリーの髪を払いのけてやった。

「死んだかと思ったわ」オードリーはデヴィッドの顔を見つめながら、かすれ声でつぶやいた。

「ぼくもだ」デヴィッドもささやくような声でこたえた。

停車したトラックから中年の運転手が降りてきた。トラックの運転手はデヴィッドのかたわらに歩み寄ると声をかけた。「その子はだいじょうぶか?」

「足を骨折したみたいだ」デヴィッドはオードリーの左足を見ながらこたえた。

「あんたはどうなんだ?」運転手はたずねた。「ケガはないのか?」

草むらに横たわったまま身を震わせる恋人を見つめていたデヴィッドは、びっくりしたように振り返った。運転手に問いただされるまで、ケガのことなど考えもしなかったからだ。事実、身体のどこにも異状はなく、かすり傷一つ負っていなかった。

＊＊＊＊＊

ふいに電話が鳴りだした。ベルの音を聞きつけたイライジャが奥の仕事部屋から出てきた。車椅子を走らせて電話のところへ急行する。仕事部屋からつづく長い廊下の両側にはスチール製の本棚がえんえんと立ちならび、そのすべてにコミックブックがきちんと整理して収められていた。秘密の仕事部屋と展示スペースを結ぶこの廊下はコミックブックの収蔵庫でもあった。仕事部屋に電話を置かないのは、そこがイライジャの聖域になっているからだ。神経を研ぎ澄ましたり瞑想にふけったりする神聖な場に、自己の存在を無遠慮に主張する電話のごとき夾《きょう》雑物《ざつぶつ》を持ち込みたくはなかった。

電話は廊下のつきあたりのコーナーテーブルに置いてあった。イライジャは息を切らしながら受話器を耳にあてた。「もしもし」

「おれはウソをついていた」くぐもった男の声が聞こえた。

「デヴィッド？」イライジャは相手を確かめた。

「おれは一度もケガをしたことがなかったよ、イライジャ」デヴィッドはそういうと、だまりこんだ。受話器から激しい雨音だけが聞こえる。どこか屋外から電話をかけているらしい。

しばらくするとまたデヴィッドの声が聞こえた。「おれはどうすればいい？」

イライジャは目をつぶった。ついにそのときがやってきたのだ。イライジャの顔に力がみなぎった。

＊＊＊＊＊

デヴィッド・ダンはフィラデルフィア三〇丁目駅に来ていた。深夜にもかかわらず人の出入りが激しかった。フットボールフィールドを思わせる広大な構内には巨大な円柱が立ちならび、高い天井をあおぎ見ると不思議な絵が描かれていた。かつてこの駅構内のトイレで殺人事件があった。たまたまその現場に少年が居合わせて一部始終を目撃していたが、その少年はフィラデルフィアの西方九〇キロに位置するランカスターの住人で、いまだに電気製品や自動車を拒否するアーミッシュ派の一員だった。

イーストレイル社の倉庫をあとにしたデヴィッドは近くのガソリンスタンドからイライジャに電話をかけた。ほかに相談できる相手はいなかった。デヴィッドの隠されたアイデンティティーをいち早く見抜いたのはイライジャである。いわば、いちばんの理解者といってよかった。デヴィッドは藁《わら》にもすがる思いで、果たすべき使命について助言を求めた。

「人が多く集まる場所へ行け……」イライジャはそうこたえた。「……そんなに時間はかからないはずだ」

デヴィッドは大理石造りの踊り場からせわしげに行き交う人々を眺めた。深夜列車が発着するたびに地下ホームとのあいだを行き来する乗降客の数がふくれあがった。

「怖くてあたりまえなんだ、デヴィッド」イライジャはそういって励ましてくれた。「現実はコミックブックとは違う……ちっぽけなコマにおさまるような単純な世界じゃないのだから」

デヴィッドは人ごみを見つめながらゆっくりと階段をおりはじめた。階段をおりきると、二、三度深呼吸してから広々としたコンコースのなかほどへ進み出た。ちょうど列車が到着したらしく地下ホームからエスカレーターを使って大勢の乗客があがってきた。デヴィッドは人の流れのなかに身を置いた。前後左右をかすめるようにして人々が通り過ぎてゆく。ときおり肩がぶつかったり手が触れたりした。ブロンドの若い女が背後からデヴィッドにつきあたった。その瞬間、鮮明なイメージがデヴィッドの眼前に浮かびあがった。

ブロンドの女はガラス張りのショーケースをはさんで店員と向き合っていた。そこは宝石店らしく、きらびやかなネックレスや指輪がいくつも飾られていた。ブロンド女は後方のショーケースを指さした。「一列目の右から二番目のやつ。そう、それ」店員がうしろを向いた隙に、ブロンド女は目の前のショーケースから銀のブレスレットを盗み取った。

デヴィッドはブロンド女のうしろ姿を見送った。まんまと万引きをやってのけた若い女は足早に駅の出口へと向かった。デヴィッドはゆっくりと場所を移動した。もっとも込みあってい るのは列車の発着を知らせる黒地の掲示ボード周辺だった。何組ものグループ客や家族連れが 眠たそうな顔でたたずみ、しんぼうづよく待ち合わせをしている。掲示ボードのすぐ前はイン フォメーションセンターになっており、列車の時刻を確かめたりホテルの予約を依頼する客が ひっきりなしに訪れていた。

デヴィッドはじわじわと掲示ボードに近づいた。地下ホームへ通じる左右のエスカレーター からつぎつぎに人があらわれ、デヴィッドのかたわらを通り過ぎていった。デヴィッドは目を 伏せると、ポンチョの下で腕をわずかにひろげ、掌を左右につきだした。その指先にすれ違っ てゆく人々の衣服がかすかに触れた。

何人もの男女がデヴィッドのかたわらを通り過ぎたが、その衣服に指先が触れても、しばら くはなにも起きなかった。そこへリーゼントヘアの若い男がやってきた。その男のしわくちゃ のシャツにデヴィッドの指先が触れたとたん、鮮明なイメージが浮かびあがった。

リーゼントヘアの男がピックアップトラックの助手席から身を乗り出していた。かなり酔っ ており、右手にビールの空き瓶をにぎりしめている。ピックアップトラックは歩道すれすれに車道をゆっくりと進んだ。黒人の家族連れがその前方を歩いていた。その黒人家族に追いついた瞬間、リーゼントヘアの男は手にした空瓶を母親らしき中年女性の頭にたたきつけた。「アフリカへ帰れ！」ピックアップトラックはリーゼント男の罵声を残して走り去った。

デヴィッドはすかさず振り返ると、人種差別主義者のうしろ姿を見送った。リーゼントヘアの男はインフォメーションセンターのすぐ横にある下りエスカレーターに乗って、たちまち姿を消した。

向きを変えたデヴィッドに身なりのいい一〇代後半とおぼしき若者がつきあたった。その瞬間、またしても鮮明なイメージが浮かびあがった。

そこは薄暗い寝室だった。ベッドに積み上げられたコートの山。その横に一〇代後半とおぼしき娘が横たわっていた。一〇代後半の若者は戸口のところから娘のようすを観察した。階下から音楽と笑い声が聞こえる。どうやらパーティーがたけなわらしい。若者はベッドのかたわらに歩み寄ると娘に声をかけた。「きみ、名前は？　飲みすぎたみたいだね」娘はほとんど聞きとれない声でなにごとかつぶやくと、苦しそうに寝返りをうった。その拍子にスカートがまくれあがって白い太股がむきだしになった。若者はその姿をしばらく眺めていたが、戸口のところへ引き返すと、邪魔者がいないことを確かめてからドアを閉めた。そしてベッドの娘を振り返った。

はっとわれに返ると、五メートルほど先で、同じ若者が待ち合わせの家族とおぼしき一団と合流していた。ダッフルバッグを肩にかけた若者は父親や母親と楽しげに語り合い、ときおり笑い声をあげた。デヴィッドは手を引っ込めた。悪行はそれを目にするだけでもひどく気が滅入るものだ。

デヴィッドは気をとりなおすべく二、三度深呼吸すると、また向きを変えた。その肩口に大柄な男がドスンとぶつかってきた。その瞬間、デヴィッドはみぞおちに一撃をくらったような衝撃をおぼえ、息をつまらせた。たちまち鮮明なイメージが浮かびあがった。

大柄な男が勝手口の網戸ごしにその家の主人と向き合っていた。そこは静かな住宅街の一角にある一戸建ての住宅だった。大柄な男はどんよりした目でその家の主人を見つめた。

「なかに入れてくれよ」大柄な男はなれなれしく話しかけた。

「きみは何者だ?」カーディガン姿の主人は戸惑いの色をうかべた。

「おれはこの家が気に入ったんだ。入れてくれよ」大柄な男は初対面の相手に常軌を逸した願いごとをならべた。

「なんだと? 入れるわけにはいかん」その家の主人は思わず怒りの色をうかべた。

「本気かい?」大柄な男は網戸のドアノブをつかんだ。その家の主人もあわててドアノブをつかんだ。施錠しておかなかったことが悔やまれたが、いまさら手遅れだった。二人の男は網戸をはさんでにらみあった。しかし、腕力に関しては大柄の男のほうがはるかにまさっていた。ドアノブがくるりとまわり、網戸が外側に引きあけられた。その家の主人は思わず叫び声をあげた。「なにをする……」

第12章　殺人者

デヴィッドは凍りついたかのようにその場に立ちつくした。肩口にぶつかってきた男の足が三〇センチと離れていないところに見えた。そっと顔をあげたデヴィッドは男のほうを見やった。その男はデヴィッドよりすくなくとも一〇センチは背が高く、胸板もおそろしくぶあつかった。オレンジ色のつなぎを身につけている。

その大男は清掃作業員らしく、コンコースに置かれたスチール製のゴミ箱からパンパンにふくれあがった黒いビニール袋を引っぱりだすと、そのゴミ袋を灰色の手押し車にほうり込んだ。ゴミ箱に新しいビニール袋をセットすると、大男はつぎのゴミ箱に向かった。

デヴィッドはその清掃作業員のあとをつけた。オレンジ色のつなぎを着込んだ大男の清掃作業員はコンコースを一巡すると、ゴミ袋を満載したふたつきの手押し車を押して、駅構内の薄暗い一角に向かった。やがて観音開きの扉が見えてきた。そのスイングドアには〈関係者以外立入禁止〉の表示が出ていた。その扉のそばに同じような手押し車が四台ならべて置いてあった。

大男は手押し車を押しながらその扉の向こうに姿を消した。デヴィッドは物陰からその扉を監視した。大男はいつまでたっても姿を見せなかった。意を決したデヴィッドが扉のほうに足を踏み出したそのとき、観音開きのスイングドアが勢いよくひらいた。

オレンジ色のつなぎを着た大男が姿をあらわした。その目は死んだ魚のようにどんよりと曇っていた。くたびれたショルダーバッグを肩からぶらさげ、フィリーズの野球帽をかぶっている。大男は通用口に向かった。デヴィッドは一〇メートルほどの距離を置いてそのあとをつけた。

駅の裏手に出た大男は線路沿いの道を北に向かった。雨脚は依然として強く、デヴィッドのポンチョはたちまちびしょ濡れになった。やがてフェアマウント公園の南端に位置する住宅街にたどり着いた。通りの両側には中流クラスの瀟洒な一戸建てが立ちならんでいたが、時間が時間だけに明かりのともっている住宅は一軒もなかった。もちろん土砂降りの屋外に人影はなく、街灯がぽつりぽつりとともる寂しい通りを歩いているのはオレンジ色のつなぎを着た大男とそのあとをつけるデヴィッドだけだった。

大男はその通りのはずれまで来ると歩調をゆるめて、注意深くあたりを見まわした。デヴィッドもその十数メートルうしろで立ちどまり、物陰に身をひそめた。大男はふいに右手の私道にはいりこんだ。その私道は広々とした前庭を持つ煉瓦造りの二階建て住宅に通じていた。大男はメールボックスから郵便物の束を抜き取ると、玄関ポーチを素通りして、建物の横手にまわった。建物の角をまがるとき、肩ごしにうしろをチラッと振り返ったが、物陰にひそむデヴィッドの姿をとらえることはできなかった。

大男の姿が消えるとデヴィッドはすかさず尾行を再開した。男のあとを追うようにして建物の横手にまわると、あの網戸のついた勝手口があった。デヴィッドはしばらくその前にたたずみ聞き耳を立てた。人の気配はない。ドアノブをつかむと、音を立てないようそっと扉を押し開けた。忍び足で踏み込むと、そこはせまい洗濯室になっていた。郵便物の束が乾燥機の上にほうり出してあった。すくなくとも二、三日分はある。デヴィッドはうしろ手で網戸付きのドアをゆっくりと閉めた。

別室からテレビの音声が聞こえてくる。その音に誘われるように洗濯室を抜けると、ダイニングキッチンになっていた。流しの電灯がつけっぱなしになっている。テレビの音声はダイニングに隣接する奥の間から聞こえた。奥の間はおそらく家族が団欒《だんらん》の時を過ごすリビングになっているのだろう。

デヴィッドは乱雑をきわめる台所を見まわした。食品棚があけっぱなしになっている。カウンターには汚れた皿が積み上げられ、空き缶がいくつもころがっていた。いずれも食品の缶詰である。とりわけ異様な姿をさらしているのが朝食用テーブルだった。食べかけのベーコンエッグが放置されており、なかば干からびていた。その向かいにエッグスタンドが二つならんで置かれていたが、ゆで卵はてっぺんの殻をはぎ取られた状態でこれまた放置され、黒っぽいカビが生えていた。エッグスタンドの横にはカラフルなシリアルをいれたボウルが一つずつ置いてあった。シリアルは古くなった牛乳に漬かって、ぶよぶよにふやけている。それにゴキブリが二匹たかっていた。

台所にはいってすぐのところにドアがあった。わずかにあいている。そのドアに近づくと、強烈な死臭が鼻をついた。デヴィッドは口で息をしながらドアを静かに押しあけた。

流しの明かりが地下室に通じる階段を照らしだした。その階段の下に中年の男が横たわっていた。網戸ごしにあの大男と話をしていたこの家の主人である。首が異様な角度にねじまがっていた。

デヴィッドは地下室のドアを閉めると、テレビの音声が聞こえる奥の間へと向かった。ダイニング側からそっとのぞきこんでみると、リビングの大型テレビがつけっぱなしになっていた。衛星生中継なのか録画なのか、テレビ画面はボクシングの試合を映しだしている。ビールの空き瓶やコーラの缶が林立するコーヒーテーブル。しかしリビングにはだれもいなかった。デヴィッドはテレビ画面に目をやった。ヒスパニック系のボクサーがコーカソイド系のボクサーの顔面に左フックを炸裂させた瞬間、ドスンという大きな足音が聞こえた。

デヴィッドは反射的に天井を見上げた。重たい足音がつづけざまに聞こえた。だれかが二階を歩きまわっている。おそらくあの大男だろう。デヴィッドはダイニングのほうへ引き返すと、そのわきの階段に足をかけた。足音を忍ばせて階段をのぼりきると、薄暗い廊下にそってドアが三つならんでいた。

デヴィッドはいちばん手前のドアを静かに押しあけた。そこは女の子の部屋だった。色とりどりのスカートやブラウスが椅子に引っかけてあり、壁には男性バンドのポスターが貼ってあった。部屋にはだれもいなかった。そのとき、半開きになったバスルームのドアの向こう側から物音が聞こえた。

用心しながらドアを押しあけると、監禁されている少女が見つかった。ちょっと太りぎみの一四歳くらいの少女が金属製のタオル掛けに手首を縛りつけられている。床にすわりこんだ少女はちょうど万歳をするような格好で両手首を縛られていた。同じように両手首を電話コードで縛られたやせた少年がその横にすわりこんでいる。おそらく弟だろう。

デヴィッドがバスルームに踏み込むと、少女と少年はわずかに顔を持ち上げた。ダークグリーンのポンチョからは依然として雨のしずくがたれていた。少女のかたわらにひざまずいたデヴィッドはすぐさま縛《いまし》めを解きにかかったが、きつく結ばれた電話コードにてこずった。デヴィッド自身、犯罪被害者をまのあたりにしていささか動転していた。

「もうだいじょうぶだ」デヴィッドは震える手で二人の縛めを順番に解いていった。両腕が自由になった子供たちは、ぐったりと壁にもたれて、どこからともなくあらわれた救世主を見上げたが、フードを目深にかぶっているのでその顔は見えなかった。

「すぐ逃げなさい」デヴィッドは子供たちにそう命じると、バスルームをあとにした。少女の部屋を出たデヴィッドは、薄暗い廊下を進み、夫婦の寝室とおぼしきいちばん奥のドアに向かった。ドアをそっとあけると、そこは明かりのともった広々とした部屋だった。

戸口をはいってまず目についたのは部屋の片隅に置かれたエクササイズバイクである。本来の用途に使用している形跡はなく、スウェットシャツやバスローブなどが引っかけてあった。部屋の中央にはキングサイズのダブルベッドが据え付けられていた。思ったとおり夫婦の寝室らしい。毛布やシーツがくしゃくしゃに丸まっているダブルベッドごしに女の横顔が見えた。

デヴィッドは特大のダブルベッドをまわり込むようにして女のところへ急いだ。おそらくこの家の主婦だろう、ネグリジェ姿の中年女がスチームパイプに手首を縛りつけられていた。その目は絨毯の一点を見つめ、まばたき一つしなかった。ひどい暴行をうけたらしく顔や腕はあざだらけだ。女のかたわらに歩み寄ったデヴィッドは物音を耳にして、立ちどまった。

すかさず振り返ると、さっきまで静かにたれさがっていたカーテンがバタバタとはためいていた。バルコニーに面したガラス戸があいているらしい。おそらくそこから風が吹き込んできたのだろう。あの大男はバルコニーにいるのだろうか。デヴィッドは縛りつけられた女に声を立てるなというふうに身ぶりで伝えたが、女はなんの反応も示さなかった。恐怖とショックで神経がまいっているのかもしれない。

デヴィッドは用心しながらガラス戸に近づくと、風にはためくカーテンをかきわけて外のバルコニーに出た。バルコニーは板張りの広々としたデッキになっており、片隅に白塗りのガーデンチェアとテーブルが置かれていた。どこにも人影はない。デヴィッドは手すりのところまで歩み寄り、裏庭を見下ろした。黒い防水シートですっぽり覆われたプールに容赦なく雨が降りそそいでいる。

部屋のなかに引き返そうと振り返ったとたん、大男が襲いかかってきた。どこにひそんでいたものか、いつのまにか背後に忍び寄られていたのに、デヴィッドはまったく気づかなかった。

ごつい肩で猛然と体当たりをぶちかまされたとたん、デヴィッドの身体は吹っ飛んだ。宙に浮いた身体はそのまま手すりを飛び越え、二階バルコニーからまっさかさまに転落した。

デヴィッドはプールをすっぽりと覆う黒い防水シートにたたきつけられた。シートの上には浅い水たまりができており、いやおうなくその水たまりに顔をつける格好になった。あわてて顔をあげたデヴィッドは雨だれに打たれる防水シートを呆然と見まわした。反射的に両手をついて起き上がろうとしたが、それがまずかった。手をついた部分が深々と水に沈み、シートがずるずると動きだしたのだ。

デヴィッドは手をつくのをやめると、大の字になって防水シートにしがみついた。それでもシートの動きはとまらなかった。プールサイドの四隅におもし代わりに置かれた土嚢《どのう》だけではデヴィッドの体重を支えることはできなかった。防水シートはデヴィッドの身体を包みこむようにしてじわじわと水中に沈みはじめた。

ふいに抵抗がなくなり、デヴィッドはめくれあがった防水シートもろとも水中に没した。デヴィッドは死にもの狂いになって手足をばたつかせた。二階のバルコニーからこちらを見下ろすオレンジ色の人影がチラッと見えたが、顔が水面下に沈むとたちまち視界がぼやけた。もがけばもがくほど防水シートが身体にからみついた。あわてるような深さではないのに、水への恐怖が事態を悪化させた。

冷たい水を嫌というほど飲み込み、溺死の恐怖が現実のものとなりかけたとき、水面を割って光るものが近づいてきた。それはアルミ製の細長い棒だった。デヴィッドは無我夢中でその棒をつかんだ。アルミ製の棒はデヴィッドをゆっくりプールサイドのほうへ引き寄せてくれた。

息をはずませながらプールサイドにはいあがったデヴィッドはしばらくその場にうずくまった。ずぶぬれのまま顔をあげると、すぐそばに少年と少女が立っていた。アルミ製の棒をさしのべてくれたのは、ついさっき助けたばかりの子供たちだった。デヴィッドはおもむろに立ち上がった。ブルッと身を震わせると水滴が飛び散った。ようやく呼吸が落ち着いた。子供たちはプール掃除用のデッキブラシをさかさまに持ったまま、フードを目深にかぶった守護者を不思議そうに見上げた。

三人とも一言も口をきかなかった。

＊＊＊＊＊

オレンジ色のつなぎを身につけた大男はスチームパイプに縛りつけた女のかたわらに立って、

ビールをラッパ飲みしていた。男がこの家に押し入ったのは一昨日の朝だった。朝食の最中だったこの家の主人を襲ってその首をへし折り、二人の子供をバスルームに監禁した。そして具合が悪くて伏せていた主婦をさんざん殴りつけたうえ、くりかえしレイプした。べつに物盗りにはいったわけではなく、暴力そのものが目的だった。

男はまだ物心がつかないうちから暴力にさらされて育った。娼婦だった母親は幼かった男を邪険にあつかい、客の飲んだくれどもと一緒になって実の息子を虐待した。壁にたたきつけられて気絶することもめずらしくなかった。一〇歳のとき、母親が横死すると施設に引き取られたが、暴力はそこでも男につきまとった。しかし思春期を迎えると身体つきが見違えるほどたくましくなり、こんどは暴力をふるう側にまわった。男はいままでの鬱憤《うっぷん》を晴らすかのように気に食わない相手をぶちのめした。とくに頭がズキズキ痛みだすと手がつけられないほど凶暴になった。

そんなときは犬や猫をぶち殺すとウソのように気分が爽快になった。殺す相手が動物から人間に移行するのにさほど時間はかからなかった。当初は道端に暮らすホームレスを血祭りにあげていたが、やがて幸福そうな人間を見つけて襲うようになった。幸せそうに顔を輝かせている連中は警戒心がとぼしく近づきやすかったからだ。デート中のカップルや買物帰りの親子連れなどが血に飢えた大男の餌食になった。大男はヘンリーと名乗ったが、本名かどうかだれにもわからない。まさに世の悪意を血肉化した存在といってよく、善意とか思いやりが通じるような相手ではなかった。この歩く災厄ともいうべき大男に遭遇した不運な人々がどれくらいの数にのぼるのかはっきりしない。ヘンリー自身、いままで何人殺したかよくおぼえていなかった。そうやって殺しを重ねながら各地を渡り歩いていた。

フィラデルフィアに流れ着いたのは一月ほど前だ。きつい肉体労働をともなう汚れ仕事ならどこでも見つかった。たまたま清掃作業員を募集していたので、それに応募したらすぐに採用された。この家を見つけたのは偶然だった。痛めつける相手をさがしてぶらついていたら、表通りからすこし引っ込んだところにこの二階建ての家が立っていたのだ。居心地がいいので、この二日間、仕事の合間を見つけてはこの家に引き返し、ビールを飲んだりテレビを見たりしていた。

大男はさんざん痛めつけた女を見下ろしながらビールをまた一口すすった。その背後に音を立てずに忍び寄ってきたのはデヴィッド・ダンだった。こんどはこちらが不意打ちをしかける番である。大男がビールをまた一口飲もうと上を向いた瞬間、そのたくましい喉元にデヴィッドの腕がヘビのようにからみついた。そのまま力いっぱい絞めあげる。息をつまらせた大男はビール瓶を床に落とした。

デヴィッドは大男を引きずり倒そうとした。しかし大男はその場に踏みとどまると、こんどは反動をつけて、後方へ体重を預けた。大男とデヴィッドはからみあったまま後方の壁に激突した。デヴィッドは背中を嫌というほど壁にぶつけた。大男はいったん身を起こすと、再度デヴィッドを壁にたたきつけた。その衝撃で家全体が揺れた。しかしデヴィッドは大男の首に巻きつけた腕を放そうとしなかった。

デヴィッドは大男の耳元にささやきかけた。「おとなしくしろ」

しかし大男はますます荒れ狂った。デヴィッドの腕を振りほどこうとして力まかせに身体をひねった。そのたびにデヴィッドの身体も左右に振りまわされたが、相手の首に巻きつけた腕だけは絶対に放そうとしなかった。それどころか再度大男の耳元にささやきかけた。「よさないか」

大男は顔を真っ赤にしながら強烈なひじ打ちをデヴィッドのわき腹にみまった。デヴィッドは思わずうめき声をもらした。大男は執拗にひじ打ちをくりかえした。このボディブローはかなりこたえたが、それでもデヴィッドは腕の力をゆるめることなく、むしろ万力のように首をじわじわと絞めあげていった。

さすがの大男も足元をふらつかせはじめた。ひじもあがらなくなった。デヴィッドはようやくかかとをつけると、渾身の力をこめて男の巨体を左右に振りまわした。二、三度くりかえすうちに大男は抵抗をやめた。やがて大男の膝から力が抜けてぐったりすると、デヴィッドは大男の身体を振りまわすのをやめた。そして顎の下に巻きつけていた腕をそっと引き抜いた。大男はそのまま床に崩れ落ちてぼろ人形のように横たわった。

デヴィッドは息を切らしながら、よろめくようにあとずさると、事切れた殺人鬼を呆然と見つめた。たとえ正当防衛でも、相手の命を奪うのは後味のいいものではなかった。デヴィッドは気をとりなおすと、縛られた女のところに歩み寄った。

「もうだいじょうぶだ」デヴィッドは女のかたわらにしゃがみこむと、その手首を縛っている針金をほどきはじめた。「子供たちも無事ですよ……」

傷だらけの肌に深く食い込んだ針金をほどいてやると、女は生気のない目をひらいたままあお向けに倒れこんだ。デヴィッドはその目をのぞき込んだ。女はまったく反応せず、ガラス玉のような目はなにも見ていなかった。デヴィッドはその口元に手をかざした。呼吸が完全にとまっている。理不尽な暴力にさらされたショックは想像を絶するものだったにちがいない。しかもいつ果てるともなく、くりかえされたのだ。衝撃のあまり息絶えても不思議はなかった。

デヴィッドはやりきれない思いを噛みしめながら悄然と立ち上がった。

＊＊＊＊＊

音もなく玄関扉をしめたデヴィッドはダークグリーンのポンチョをコート掛けに吊るすと二階に向かった。しかし階段のなかほどで立ちどまると、一階に引き返した。デヴィッドは来客用の寝室の前に立ってしばらく迷っていたが、意を決してドアをあけるとなかにはいった。

そして眠った妻を抱きかかえて出てくると、ふたたび階段をのぼりはじめた。オードリーは階段のなかほどで目をさました。夫の顔を下から見上げる格好になったが、なにもいわずにだまっていた。二階の寝室にたどり着くと、デヴィッドはオードリーをベッドにそっと寝かせた。そして自分もベッドに横になると、右腕をオードリーの腰に巻きつけた。その手は震えていた。デヴィッドはオードリーに顔を近づけると、目をつぶって、ささやくようにいった。「怖い夢をみたんだ」

オードリーは驚きの色をうかべたが、自分もまぶたを閉じると、ささやくような声でこたえた。「もう心配いらないわ」その目じりから涙があふれだした。

第13章　衝撃の真実

ジョセフ・ダンは自分のベッドから這い出すと、パジャマ姿のまま部屋を出た。ねぼけまなこをこすりながら階段をおりて廊下を進むと台所から話し声が聞こえた。台所の戸口に立ったジョセフは、朝食をとりながらなごやかに語り合う両親を見つめた。これほどうちとけた姿を見るのは生まれて初めてのような気がする。ものめずらしさも手伝ってじっと眺めていると、ようやくその視線に気づいたのか両親がそろって振り返った。

「フレンチトーストを作ってあげるわ」オードリーはすかさず立ち上がるとガスレンジの前に立った。

ジョセフは母親のうしろ姿をぼんやり見つめながらテーブルに近づくと、父親のほうに目をやった。デヴィッド・ダンはいつのまにか新聞を読みはじめていた。ジョセフは差し向かいの席に腰をおろした。

「イライジャ・プライスのことだけど」オードリーは料理をしながら肩ごしに話しかけた。デヴィッドが顔をあげると、ジョセフもつられて母親を振り返った。

「こんどまた姿をあらわしたら、警察に通報しましょう。いいわね？」オードリーは肩ごしに振り返ると、念をおした。「わかった？」

「うん……」ジョセフは小さな声でこたえると父親のほうに目をやった。デヴィッドは無言のままわかったというふうにうなずくと、また新聞に目をもどした。オードリーは二人の反応を確認してからガスレンジに向き直った。

ジョセフはテーブルに出してあるオレンジジュースの紙パックを持ち上げると、ガラスのコップにジュースを三分の二ほどついだ。その手元へ新聞がすっと差し出された。ジョセフは思わず顔をあげた。父親はそんな息子をだまって見つめると、新聞のほうに目配せした。ジョセフは新聞に目を落とした。

朝刊の一面にイラスト入りの記事が載っていた。フード付きのマントみたいなものをはおった人物が二人のおびえた子供をかばうようにして立っているところが描かれており、〝救世主〟という大見出しが躍っている。そのフード付きの衣類には見覚えがあった。父親がふだん愛用しているダークグリーンのポンチョそっくりではないか。フードで顔が見えない謎の人物の姿かたちも父親に酷似していた。

ジョセフはゆっくり顔をあげると、差し向かいにすわった父親に問いかけるようなまなざしを向けた。デヴィッドは万感の思いのこもった目で息子を見つめると、そうだというふうにうなずいてみせた。ジョセフは呆然と父親を見つめた。

デヴィッドは声にはださずロだけ動かしてみせた。「おまえのいうとおりだった」

息子の目にみるみるうちに涙があふれだすと、デヴィッドは唇に人差し指を立てた。母さんには内緒だという合図である。ジョセフは掌で目元をこすりながらなんどもうなずいた。父と息子はともに涙をこらえながら、無言で見つめあった。

＊＊＊＊＊

うららかな陽射しが降りそそぐ昼下がり、リミテッド・エディションの前を行き交う通行人の数もふだんより多かった。雨の多いフィラデルフィアにしてはめずらしく好天で、そのせいかどの顔もうれしげな表情をうかべている。正面扉の横に置かれたイーゼルにも日があたり、立てかけてある〈展覧会開催中〉という白い案内札がまばゆく光って見えた。イライジャ・プライスが満を持して秘蔵コレクションを公開するとあって、いつもはがらんとしている店内もこの日ばかりは招待客でごった返していた。そのなかにデヴィッド・ダンの姿もあった。

デヴィッドは人ごみをさけて比較的すいている一角に移動した。すぐ近くの壁にも額入りの原画が飾られていた。その絵を眺めていると、黒人の年配女性が歩み寄ってきた。

「それはジョナサン・デヴィスの初期の作品ですよ」黒人女性はデヴィッドに話しかけた。

「ほら、悪者の目をごらんなさい。ほかのキャラクターより大きめに描かれているでしょう。これは悪者のゆがんだ世界観を暗示したものです。よく感じがでているでしょう」

デヴィッドは目の前の原画をじっと見つめた。「ちっとも怖そうじゃありませんね」

「わたしも息子にそういいました」黒人女性はわが意を得たとばかりにうなずいた。「息子の説明によると、悪者は二種類いるそうです。ヒーローと肉弾戦をくりひろげる下っ端と、本物のワル。頭脳でヒーローに戦いをいどむこのタイプこそ真の強敵なんだそうです」

デヴィッドは六〇代半ばとおぼしき美しい黒人女性を振り返った。「失礼ですが、イライジャのお母様ですか?」

黒人女性もデヴィッドに向き直った。「ええ、そうです。わたしも店を手伝っているんです」

デヴィッドは自己紹介した。「はじめまして、わたしはデヴィッド・ダンです」

イライジャの母親は顔をほころばせた。「お噂はお聞きしています。つい最近、お友達になったそうね」

「ええ」デヴィッドは展示コーナーの反対側に目をやった。車椅子のイライジャが額入りの絵を前にして数人の招待客と談笑している。「きょうは具合がよさそうですね」

イライジャの母親は目をうるませた。「わたしは息子を誇りに思っています。あの子の人生は試練の連続でしたから……何度くじけそうになったことか……それをみごとに乗り切ってくれました。ほんとうによくやったと思います」

デヴィッドも相づちをうった。「まさに奇跡を起こしたわけですね」

「ええ」イライジャの母親はこたえた。「あなたがお越しになっていることを伝えてきましょう」

「恐れ入ります」デヴィッドは礼を述べるとそのうしろ姿を見送った。車椅子のイライジャに歩み寄った母親は、息子と招待客の話がすむのを待っている。ちょっと時間がかかりそうな雰囲気だ。

デヴィッドは額入りの原画を振り返ると、あらためてそれに見入った。隅々にまで目を凝らしているうちにふとあることに気づいた。大きな目をぎらつかせながら物陰にすわりこんでいるしわだらけの怪人。腰かけているのはなにかのマシンらしい。ボタンやレバーがたくさんついているだけでなく、車輪までついている。

デヴィッドは思わず車椅子のイライジャを振り返った。イライジャも大きな目をぎらつかせながら招待客相手になにごとかまくし立てていた。デヴィッドは絵に向き直った。車輪付きのマシンは見れば見るほど、車椅子に似ていた。デヴィッドはにわかに胸騒ぎをおぼえた。

ふたたびイライジャを振り返ると、ちょうど母親と話しているところだった。イライジャはデヴィッドのほうに顔を向けると、ついて来いというふうに手を振った。そして車椅子にすわったまま店の奥へと向かった。

＊＊＊＊＊

デヴィッドは車椅子のあとを追うようにして長い廊下を進んだ。廊下の両側にはおびただしい数のコミックブックを整然と収めた本棚がずらりとならんでいた。その廊下のつきあたりに秘密の仕事部屋があった。母親も立ち入らせないイライジャの聖域である。デヴィッド・ダンはその聖域に通された初めての客だった。

コンピューターのモニター画面がいくつもならぶデスク。ハードカバーの本がびっしりとつまった本棚。壁にはなにかの設計図らしい青写真が貼ってあった。画廊店主の仕事場というより大学の研究室のように見える。イライジャはデスクの前で車椅子の向きを変えると、そばに置いてあった新聞をかざした。デヴィッドが朝食の席で息子に見せたあの朝刊である。

「いよいよはじまったな」イライジャはデヴィッドに問いかけた。「けさの目覚めはどうだ？あいかわらず物悲しい気分がしたか？」

デヴィッドはノーというふうに首を振った。イライジャはうれしげに新聞の一面を見つめるとなんどもうなずいた。「いよいよ握手をするときが来たようだな」イライジャはそういうと黒革の手袋をはめた右手を差し出した。

デヴィッドはその手をいぶかしげに見つめた。どうしていまごろになって握手をするのか解せなかった。しかし差し出された手を無視するわけにもゆかず、なかば義務的にその手をにぎった。その瞬間、鮮明なイメージがうかびあがった。


空港のゲート。見送りの人々が待合室の大窓ごしに滑走路を眺めている。突然すさまじい爆発音がとどろき建物全体が揺れた。窓辺に立っていた人々が悲鳴をあげた。ベンチに腰かけていた人々もあわてて窓辺に駆け寄ったが、一人だけ窓に背を向けてすわっている男がいた。周囲の騒ぎをよそに、泰然自若としているその男こそイライジャ・プライスだった。けたたましいサイレンの音が響きわたると、イライジャは静かに立ち上がってゲートをあとにした。一度もうしろを振り返らなかった。

イライジャはデヴィッドの手をにぎりしめたままだった。デヴィッドは呆然と立ちつくした。鮮明なイメージはつづいた。

バーカウンターにひじをついてグラスを傾けるイライジャ・プライス。その隣にホテルの制服を着込んだ年配客がすわっていた。

「わしはあのホテルに二五年勤めている」年配客はしゃべりだした。「あのホテルのことなら裏も表も知りつくしている」

「たとえば？」イライジャは水を向けた。

年配客は声をひそめた。「一階か二階か三階で出火したら……宿泊客は全員焼け死ぬことになるだろうな」

イライジャは思わずグラスから顔をあげた。

デヴィッドはイライジャの手をふりほどこうとした。追い討ちをかけるように鮮明なイメージがつづく。それは目を疑う光景だった。

イライジャ・プライスが列車の運転席から出てきた。それはまぎれもなくイーストレイル社の一七七番列車だった。コーヒーを手にして引き返してきた運転士がイライジャを見とがめた。

「乗客の立ち入りは禁止されています」

イライジャは返事もしなければ振り返ることもなく、さっさと列車から遠ざかっていった。

デヴィッドはおぞましげに手を引っ込めると、よろよろとあとずさった。あらためて室内を見まわすと、壁のいたるところに新聞の切り抜きが張ってあった。〈メキシコで地滑り〉という大見出しが目に飛び込んできた。どれもこれも大災害や大事故の記事ばかりだ。本棚をよく見ると、電気工学や機械工学、建築工学、危険物取り扱いマニュアルといった専門書や作業マニュアル類がずらりとならんでいた。それにあの青写真はジェット旅客機の設計図ではないのか……。

「この世でいちばん恐ろしいことはなんだと思う?」イライジャは押し殺した声で切りだした。

「……それは自分の居場所が見つからないことだ。自分の存在理由がわからない……これほど恐ろしいことはない」

デヴィッドは顔をゆがめると、目に涙をうかべながらイライジャのかたわらを離れた。「なにをしでかした?」

「一時はほとんど希望を失いかけていた」イライジャはつぶやくような声で話をつづけた。「いくども自問したものだ、おのれの存在理由についてな」

デヴィッドは涙声でいった。「よくもあれだけの人を殺したな」

「だが、おまえを見つけた」イライジャはすかさずいい返した。「多大な犠牲を払っただけのことはあったのだ」

デヴィッドはさらにあとずさった。「なんてことを」

イライジャはそんな相手を正面から見据えた。「お陰でおまえは自分が何者であるかを知ったし、わたしも自分が何者であるかを知った。わたしの考えは間違っていなかったのだ」

デヴィッドは息がとまりそうになった。もはやこの場にいることが耐えられず、くるりと背を向けて歩きだした。

イライジャはその背中に大声で話しかけた。「これですべての意味合いがはっきりする。コミックの悪玉はどんな姿かたちをしている？　すべての面でヒーローとは対照的だろう……そしてたいていの場合、友人でもある。おまえとわたしのように」

振り向くことなく薄暗い廊下を大股に進むデヴィッド。そのうしろからイライジャの悲痛な声が響きわたった。

「思えばもっと早く気づくべきだった……ミスター・グラスと呼ばれたときに……あのときからこうなる宿命だったのだ」

エピローグ

デヴィッド・ダンの通報によって当局がリミテッド・エディションを家宅捜索した結果、三大テロ事件の証拠が発見された。イライジャ・プライスは現在、精神異常の犯罪者を収容する施設にいる。

いっぽうデヴィッド・ダンはフィラデルフィアから姿を消した。真のアイデンティティーに目覚めたデヴィッドだが、その自覚は両刃の剣でもある。壊れざる者《アンブレイカブル》は無敵でもなければ不老不死でもない。揺れ動く心を持った生身の人間なのだ。肉体が衰えれば気力も萎える。守護者たる使命感が重圧となって、狂気の淵へ迷い込まないともかぎらないのだ。晩年のバットマンのように。

その使命を終えたイライジャと、これからその使命を果たさねばならないデヴィッド。どちらもその前途は多難といわざるをえない。

※注意　次ページからの解説には物語の結末を明かす内容が含まれています。必ず本文をお読みになってからご覧ください。

「壊れる男《ブレイカブル》」と「壊れない男《アンブレイカブル》」

品川四郎

もっと正確に言えば「壊れやすい男」と「壊れにくい男」――シャマラン監督最新作『アンブレイカブル』は、そういう対極的な二人の男の物語だ。肉体的にもまったく正反対の男たちを、監督はアメリカン・コミックのキャラクター構造にはめ込んで、現実世界の出来事に仕立て上げる。もちろん「壊れやすい男」とはサミュエル・L・ジャクソン扮するコミック・ディーラー＝イライジャ・プライス、逆に「壊れにくい男」デヴィッド・ダンを演じるのは、前作『シックス・センス』でタフガイの異なる側面を見せたブルース・ウィリス。生まれついて骨組織のもろい障害者イライジャは、犠牲者百三十一人を出した列車事故でただ一人奇蹟の生還を果たした男デヴィッドに「コミック・ヒーロー」の先天的資質を見出し、接触を図ると同時にデヴィッドの自己啓発を促す。最初はイライジャの言葉をストーカーまがいの戯言《たわごと》と一蹴していたデヴィッドはしかし、自分がそれまで意識していなかったさまざまな人生の細部を指摘され、その解釈にとまどい始めた瞬間から、イライジャの言葉を否定できなくなってくる。

果たして自分は本当に「ヒーロー」なのだろうか。いや、そもそもそんなものがこの世に存在するのだろうか。確かに日々の不安はある。仕事はもちろん、決してうまくいっているとは言い難い家庭のことも悩みの種だ。しかしそういったことと、自分が本当は「ヒーロー」かも知れないということと、具体的な関連があるとも思えない。かといって、もはやイライジャの指摘が単なる妄想の結果であるとも思えない。自分は本当は何者なのか。物語はやがて、ゆっくりとデヴィッドの自己発現に向かって坂を転がり始める。そして、ついに「レインコートのヒーロー」が誕生した翌日、映画はいわゆる「驚愕の真相」を明らかにする。いまこの小説版を手にしているあなたは、十中八九、すでに映画をご覧になっているはずだから、その「驚愕の真相」の内容は充分に味わっているに違いない。それはあなたの眼にどのように映ったか。特に『シックス・センス』に感心して劇場に足を運んだ観客にとって、それは納得のゆくものだっただろうか。シャマラン監督は、何を意図してこのような物語を編んだのか。

妄想と現実

言ってしまえば、すべての物語はイライジャの妄想だった。少なくとも、映画を一見した上ではそのように解釈できる。いや、自分を含めて、通常一般の観客レベルではそう考えるより仕方がない。生まれついて骨格組織が弱く、健康的な生活を送れなかったイライジャは、自分の対極に存在するはずの「超人」を発見するべく、無謀にも飛行機に爆弾を仕掛け、列車事故を細工するなどの破壊工作を仕組んでまわる。デヴィッドが大惨事から生還したのは偶然ではなく、イライジャによってあぶり出された結果だった。偶然はむしろ、デヴィッド以外の乗客がことごとく死亡してしまったことの方だったはずだ。さらに危険な言い方をすれば、それは障害者が永年にわたって蓄積した妄想だった。健常者ではない自分の存在理由の解明だった。この問題を深く掘り下げて語ることは、日本では責任の所在の不明確なまま、暗黙の了解としてタブー視されているが、ではイライジャは本当にそのような歪んだ思考の持ち主だったのか。しかし、もしそうだとすれば、歩くこともままならない人間があのような事件を引き起こせるはずがない。今回の「衝撃の結末」を知って、観客はさまざまな感想を持ったに違いないが、それはその「結末」に対して出てくる当然の疑問のひとつだったに違いない。「イライジャにあんなことができるはずないだろう」と。イライジャと握手をしたデヴィッドが真相を知る瞬間は、それがあまりにも堂々と描かれるために、どうしても「犯人はイライジャだった」という単純な印象の方が強くなってしまうが、それは実はイライジャも「超人」であったことの証明だった。矛盾しているように聞こえるかも知れないが、これを「負の超人」と言い換えるなら納得できるはずだ。イライジャの肉体的特徴は、一般的に見れば障害以外の何物でもないが、シャマラン監督の描くコミック的現実世界では「悪役《ヴィレン》」にとってなくてはならぬ必須条件であり、プラスでしかなかった。シャマランの『アンブレイカブル』の世界に最初に登場し、覚醒した「超人」はイライジャの方だったわけだ。そういう次第で、イライジャの破壊工作は彼の肉体的障害とは関係のない次元で、成功するべく成功していたのである。映画に限らず、これまでヒーロー誕生の作品は山ほどあったが、悪役が先に誕生していてヒーローの覚醒を促すような作品はなかった。シャマランの『アンブレイカブル』とはそういう性格の作品である。

怪人が先か超人が先か

ここのところ、アメリカの純国産品とも言えるアメリカン・コミックの世界にこだわってしまうと、かえって視点が鈍ってしまうきらいがある。例えばこれを『ウルトラマン』の世界に置き換えてみたらどうだろうか。それはヒーローが活躍する番組であって、放映

第一回「ウルトラ作戦第一号」では、画面に最初に登場するのは宇宙の囚人怪獣ベムラーだったが、それはウルトラマンの活躍を演出するための段取りであって、怪獣人気あっての『ウルトラマン』ではあっても、ウルトラマンはベムラーによって正義に目覚めるわけではない（その事件によって地球に留まる決心はするけれど）。怪獣側の心理に生きる監督ティム・バートンも、最初の二作『バットマン』と『バットマン　リターンズ』で何度も悪役怪人の誕生を描いていたが、それはやはりバットマンが先に存在している世界での出来事だった。ただしバートン＝バットマンの場合は、バットマンそのものを怪人側に近づけて描くことで、ヒーロー然とした超人譚とは異なるものになっていたわけで、ジョージ秋山の『デロリンマン』に近い存在ではあるが。

それはともかく、いかなるヒーローものも、魅力的な悪役なくしては長寿をまっとうできないが、ヒーローなくしては悪役の存在証明もあり得ない道理である。どんなに怪獣が人気を呼んでも、ウルトラマンの存在を越えることはできない。その関係をあえて逆転させたのが『アンブレイカブル』だったのだ。しかしそうと分かってなお、同時にそれだけでは素直に納得できない後味の悪さが残るのは、やはり怪人が超人を作る裏返し構造のせいだろう。しかもそれが、監督の言うように「リアルでなければいけない」世界で展開されるのだからなおさらだ。おまけに監督は自信たっぷりに、それこそ「どうだ」と言わんばかりに堂々と種明かしをしてみせる。映画が毅然としているのは大変に結構だが、監督の自信に裏打ちされたそれは観客への押し付けになってしまう危険性もある。実際に全米でも評価が真っ二つに分かれたが、それは結末へいたる物語よりも、結末の提出の仕方に引っ掛かった人間が多かったからだろう。さすがに監督も過剰なリアクションに疑問が芽生えたのか、日本でのマスコミ試写にあたっては再三、直接監督の名でアンケートを募っている。

自負と偏見

監督の自信のほどはしかし、小説版の刊行が「映画封切りの三カ月後」という形を取って再燃する。本国アメリカでは許可されなかった小説版が出版可能になったというだけでも大きな進歩なのかも知れないが、やはりこれは異例のことだ。通常ならば最低でも「映画封切りの一カ月前」が当たり前、営業的な見方をすれば、もっと早くても構わない。原作にしてもノヴェライズにしても、映画公開に足並みを揃えて協調はするが、獲得された出版権は基本的に映画興行から侵犯される類いのものではない。それだけ『アンブレイカブル』の物語には監督の自負が大きかったということにしかならないが、少なくとも『シックス・センス』の時には感じられなかった監督の「自負」が表面化したことで、いたずらに「衝撃の結末」が色眼鏡で見られたとすれば、これほど残念なことはあるまい。ここにようやく刊行される『アンブレイカブル』小説版は、直接交渉の結果「映画封切りの四十五日後」ということで話がまとまったものだが、その内容は映画の興奮を殺ぐどころか、逆に補完しているといっていい。例えば映画では、デヴィッドはイライジャから唐突に「毎朝、目が覚めてもやもやした気分にならないか」と物語の核心に関わる指摘を受けるが、脚本をもとにした小説版では、やはりそれ以前にデヴィッドが朝起きて自分の抱く不安に気づく場面があった。完成した映画にどうして重要な伏線とも言うべきその場面が欠落しているのかは謎だが、監督の自負を裏付けるだけの物語要素がきちんと盛り込まれていたことを証明するに充分な小説版と言えるだろう。小説版ということで言うなら、前作『シックス・センス』も出色の出来だったが、今回の『アンブレイカブル』も、また別の意味で出色の一冊だ。少なくとも、劇場であなたが感じたさまざまな疑問——特に感覚的疑問に応えてくれるはずだ。ここはひとつ、さまざまに飛び交った色眼鏡という偏見を捨てて、改めていま一度「衝撃の結末」にいたる過程を味わっていただきたい。

【著者略歴】M. ナイト・シャマラン
1970年、インドのマドラス生まれ。幼い頃に家族とアメリカへ移住。全世界でスーパーヒットとなり、作品賞、監督賞を含むアカデミー賞6部門にノミネートされた新感覚スリラー『シックス・センス』(99) の監督および脚本を手掛けた。これにより、一躍ハリウッドの若手フィルム・メーカーの頂点に立った。10歳で早くも映画を作りはじめ、16歳までに45本の短編映画を完成させた彼は、92年に初の低予算長編映画『Playing With Anger』を制作、アメリカ・フィルム・インスティテュートで最優秀新人賞を与えられた。他の監督作品に『翼のない天使』(97)、脚本作品に『スチュアート・リトル』(99) がある。

【訳者略歴】石田 享（いしだ すすむ）
1954年大阪生まれ。ICU卒。
訳書に『オーロラの彼方へ』『ピッチブラック』『インビジブル』『アンナと王様』『エンド・オブ・デイズ』『アルマゲドン』『エネミー・オブ・アメリカ』『スピード』『ザ・ロック』『ホームアローン２』『クロッカーズ』『妖魔の宴狼男編』『スター・ウォーズ　新たなる希望』『スター・ウォーズ　帝国の逆襲』『スター・ウォーズ　ジェダイの復讐』（竹書房）
『スター・ウォーズ　Xウィング・ノベルズ』４部作（メディアワークス）
『コナン・ザ・バーバリアン』『スター・ウォーズ　ダーク・エンパイアⅠ』（小学館プロダクション）
『スター・ウォーズ　キャラクター&クリーチャー』『スター・ウォーズ　エピソードⅠ　クロスセクション』『スター・ウォーズ　エピソードⅠ　キャラクター&クリーチャー』『スーパーマリオ』『メイキング・オブ・スーパーマリオ』（小学館）
共訳に『メイキング・オブ・ターミネーター２』（バンダイ）、監訳に『スター・ウォーズ最新科学読本』（竹書房）などがある。

200

アンブレイカブル

平成13年3月31日初版発行

脚本……………………………M. ナイト・シャマラン
編訳…………………………………………石田　享
デザイン……………………………………橋元浩明

発行人………………………………………高橋一平
発行所…………………………………株式会社竹書房
〒102-0072東京都千代田区飯田橋2-7-3
電　話：03-3264-1576
URL http://www.takeshobo.co.jp
振替：00170-2-179210

印刷所……………………………凸版印刷株式会社

ISBN4-8124-0731-1 C0174

Printed in Japan